Photographie : Philip Jourdan

Maquette : Daniel Raiche

Couverture : Ann-Sophie Caouette

Infographie : Stéphane Losq

Révision et correction : Francesca Jourdan – Danièle Blais

ISBN : 978-2-924402-53-5

Dépôt légal - Bibliothèque et Archives Nationales du Québec, 2015

Dépôt légal - Bibliothèque et Archives Canada, 2015

Imprimé au Québec

CLAUDETTE DION ET ANDREA JOURDAN

SORTEZ VOS
mijoteuses

100 RECETTES RAPIDES RÉUSSIES À COUP SÛR

édito

Table des matières

À nos mères, Marie-Laure et Thérèse
et à nos filles, Francesca, Celia et Cathy,
parce que nous portons en nous la vie de nos ancêtres
et pour que la tradition de la bonne cuisine
ne se perde jamais.

Le mot de Claudette

Avec les enfants, les petits-enfants et les amis de tout ce beau monde, ma table est souvent remplie de bouches affamées. Ma mijoteuse travaille alors beaucoup car elle me permet d'assister aux joutes de hockey de l'un, au spectacle de ballet ou au récital de musique de l'autre, de pique-niquer avec ma grande sœur ou de faire une séance de magasinage avec maman pendant que le souper se prépare tranquillement. Mon amie la mijoteuse me donne aussi l'occasion de passer du temps de qualité avec mes petits-enfants. Lorsque je rentre à la maison, les parfums des plats qui mijotent embaument la cuisine et il ne me reste plus qu'à mettre la table.

Les plats préparés à la mijoteuse remplacent ceux que ma grand-mère concoctait, faisait mitonner dans son vieux fourneau et dont les arômes se répandaient jusque dans le chemin qui menait à sa maison.

J'ai commencé à utiliser la mijoteuse lorsque je me suis rendue compte qu'elle pouvait cuisiner pendant mes heures de sommeil, et pas seulement dans mes rêves ! En rentrant d'un spectacle, tard le soir, je ne suis pas toujours prête à aller dormir, mais plutôt disposée à m'adonner à une activité relaxante, telle que cuisiner. Je sors alors cette amie qui mijote toutes les bonnes choses dont je la remplis et je popote. Et quand je dors, comme par enchantement, mes plats du lendemain se préparent tout seuls. Le matin venu, je remplis des contenants isothermes et j'apporte à mes petits-enfants un lunch surprise tout chaud. S'il y a des restes, je les sers au dîner ou je les congèle.

La mijoteuse est autant utile pour se faciliter la vie que pour faire plaisir à ceux que l'on aime. Sortez-la donc de l'armoire ! Sa place est incontestablement sur le comptoir de votre cuisine.

Le mot d'Andrea

Ressortez vos mijoteuses, tout n'a pas été dit à leur sujet et toutes les recettes n'ont pas encore été inventées ! Nos mijoteuses ont encore plusieurs bons aliments à préparer avant d'avoir cuisiné leur dernier repas.

Été comme hiver, la mijoteuse est là, prête à servir, souvent reléguée au fond d'une armoire en attendant une aventure gastronomique. Utiliser une mijoteuse, c'est comme donner un coup de baguette magique. Elle travaille pendant que nous sommes ailleurs, attendrit des viandes souvent délaissées pour les transformer en mets de choix, garde les aliments au chaud jusqu'au moment du repas et procure un grand réconfort à ceux qui les dégustent.

La mijoteuse est souvent, à tort, réservée à des plats en sauce ou à des bouillis, alors qu'elle peut produire une plus grande variété de repas. Ses qualités ne sont plus à vanter : cet appareil facile d'entretien et très abordable permet de cuire des coupes de viandes économiques que la cuisson rend savoureuses. La mijoteuse sert aussi à préparer des mets délicieux, gastronomiques et même exotiques. C'est un excellent laboratoire pour mélanger les saveurs et expérimenter de nouvelles combinaisons alimentaires. Ce qui en résulte est toujours bon et parfois étonnant.

La mijoteuse a été inventée au début des années 1970 pour permettre de cuire les aliments à la façon des cocottes de nos grands-mères sans avoir à les mettre au four. Et ça fonctionne ! Elle est comparable à un four miniature avec casserole intégrée. La vapeur des aliments, condensée à l'intérieur pendant la cuisson, scelle le couvercle pour ne rien laisser échapper. On n'a qu'à choisir la durée et la température de cuisson, puis vaquer sereinement à nos occupations, de jour comme de nuit. Une économie de temps appréciable !

J'utilise également la mijoteuse comme un four d'appoint, dans lequel je prépare un plat sur le comptoir pendant que je me concentre sur la cuisson des gâteaux ou des tartes dans le four principal. Si ma mijoteuse pouvait aussi faire la vaisselle, elle serait parfaite...

Qu'on l'emploie pour cuisiner la nuit ou pour y cuire un plat toute la journée, la mijoteuse gagne à être laissée sur le comptoir et utilisée tous les jours.

Les conseils de Claudette et Andrea

Les mêmes questions reviennent souvent, avec raison, à propos de la cuisson en mijoteuse. Si vous n'avez pas encore utilisé cet appareil, il faut commencer par l'apprivoiser. Si vous l'utilisez depuis longtemps, il est sans doute encore possible de vous perfectionner.

COMMENT CHOISIR UNE MIJOTEUSE ?

La taille de votre mijoteuse doit convenir à l'appétit de votre famille. C'est donc votre premier critère. Une mijoteuse de 1,5 L (6 tasses) peut contenir 750 ml (3 tasses) de soupe, ce qui est juste assez pour deux personnes, alors qu'une mijoteuse de 4,5 L (18 tasses) peut nourrir six personnes.

Certaines mijoteuses possèdent une fonction intégrée de rôtissage qui permet de faire revenir les aliments directement dans la cocotte avant de commencer la cuisson. D'autres ont une cocotte qui va au four, afin de faire gratiner certains plats avant de les servir.

Nous vous recommandons d'utiliser une mijoteuse à couvercle transparent, pour voir l'intérieur sans soulever le couvercle.

COMMENT ADAPTER DES RECETTES CONVENTIONNELLES POUR LA MIJOTEUSE ?

Pour adapter des recettes conventionnelles, il faut d'abord utiliser la moitié de liquide dans la mijoteuse. Ensuite, il suffit de placer les légumes racines de longue cuisson dans le fond de la cocotte avant d'y mettre la viande. Enfin, vous devez modifier le temps de cuisson.

QUELLES SONT LES ÉQUIVALENCES DE CUISSON POUR UN PLAT MIJOTÉ DANS UNE CASSEROLE ET DANS LA MIJOTEUSE ?

En règle générale, les viandes à braiser cuisent plus longtemps dans la mijoteuse, pendant environ quatre heures à haute température et huit heures à basse température. Les soupes et certains autres plats cuisent plus rapidement.

Voici des équivalences pour la cuisson.

Cuisson régulière	Cuisson à la mijoteuse
environ 30 min	2 h à haute température 5 h à basse température
environ 1 h	3 h à haute température 7 h à basse température
environ 2 h	4 h à haute température 8 h à basse température
environ 4 h	6 h à haute température 10 h à basse température

FAUT-IL SAISIR LES ALIMENTS DANS UN POÊLON AVANT DE LES AJOUTER DANS LA MIJOTEUSE ?

La plupart du temps, saisir les aliments ajoute de la saveur aux plats mijotés. La caramélisation qui s'opère dans le poêlon rend les saveurs plus riches et plus goûteuses.

EST-IL POSSIBLE DE SAISIR LES ALIMENTS DANS LA MIJOTEUSE ?

Certaines mijoteuses de la nouvelle génération ont une fonction qui permet de saisir et dorer les aliments. Toutefois, la majorité des appareils actuellement sur le marché n'ont pas cette fonction pourtant fort appréciable en termes d'économie de vaisselle et d'énergie.

POURQUOI NE FAUT-IL PAS REMPLIR LA MIJOTEUSE JUSQU'AU BORD ?

La mijoteuse se remplit à moitié ou au plus aux trois-quarts pour éviter le débordement et une cuisson excessive qui modifierait la texture des aliments.

POURQUOI NE FAUT-IL PAS RETIRER LE COUVERCLE DE LA MIJOTEUSE PENDANT LA CUISSON ?

La mijoteuse travaille les aliments en profondeur et les cuit comme un four. Si vous soulevez le couvercle, une grande partie de la chaleur utilisée pour la cuisson des aliments s'en échappe. Revenir à la température requise prendra alors un certain temps. Il vous faut donc bien suivre les indications de la recette.

POURQUOI NE FAUT-IL PAS REMUER LES ALIMENTS PENDANT LA CUISSON ?

Les éléments chauffants situés dans les parois de la mijoteuse permettent une diffusion de chaleur égale, ce qui fait que les aliments ne collent pas. La cocotte n'est jamais en contact direct avec la source de chaleur. Il n'est donc pas nécessaire de remuer les aliments durant la cuisson

POURQUOI CHOISIR ENTRE UNE CUISSON À HAUTE OU À BASSE TEMPÉRATURE ?

La température des mijoteuses monte lentement, et se maintient à environ 100 °C (210 °F). Sur la position « Haute température » (High), la mijoteuse arrive à la température souhaitée rapidement ; sur la position « Basse température » (Low), la température monte plus lentement. Choisissez le mode de cuisson selon le temps dont vous disposez. Une cuisson de quatre heures à haute température et une cuisson de sept ou huit heures à basse température auront le même résultat, dans la plupart des cas.

COMMENT PRÉPARER UN REPAS LE MATIN, AVANT DE CONDUIRE LES ENFANTS À L'ÉCOLE OU DE SE RENDRE AU BUREAU ?

Il vous faut préparer la recette la veille. Faites revenir les aliments et placez-les dans la cocotte de la mijoteuse. Couvrez-la et réfrigérez toute la nuit. Au réveil, sortez la cocotte du réfrigérateur. Démarrez la cuisson environ 30 à 45 minutes plus tard, une fois que les aliments sont à température ambiante.

LA RÉFRIGÉRATION MODIFIE-T-ELLE LE TEMPS DE CUISSON ?

Si la préparation a été placée au réfrigérateur dans la cocotte la veille, ajoutez 90 minutes de cuisson au temps indiqué dans la préparation.

FAUT-IL HUILER OU GRAISSER LA MIJOTEUSE ?

La mijoteuse cuit les aliments différemment de la poêle. Si le plat contient suffisamment de liquide, il n'y a pas besoin de corps gras. Les aliments cuisent dans leur jus et leur vapeur. De plus, les viandes qui perdent normalement leur gras lorsqu'on les cuit à la poêle conservent leur gras dans la mijoteuse. Il y en aura même plus que nécessaire. La majorité du gras autour de la viande peut donc être retirée avant la cuisson à la mijoteuse.

COMBIEN DE LIQUIDE FAUT-IL UTILISER ?

Pour une bonne cuisson, le liquide doit couvrir les aliments, mais jamais dépasser la moitié de la capacité de la mijoteuse. Puisque le couvercle est hermétique, aucun liquide ne s'en échappe. Le couvercle d'une mijoteuse contenant trop de liquide peut se soulever, ce qui nuirait à la cuisson. Utilisez des bouillons de qualité pour mouiller les aliments et évitez l'eau, à moins que la recette ne l'exige car elle dilue les arômes et noie les saveurs.

POURQUOI LES SAUCES SONT-ELLES SOUVENT LIQUIDES ?

Dans la mijoteuse, le liquide ne s'évapore pas. Pour qu'une sauce épaississe, il suffit d'y ajouter une petite quantité de fécule de pomme de terre ou de farine avant le début ou à la fin de la cuisson. Le liquide de cuisson auquel on a ajouté un peu de farine peut être filtré au-dessus d'une petite casserole avant de servir.

QUAND FAUT-IL AJOUTER LES PÂTES, LES HERBES OU LES LÉGUMES ?

Les pâtes doivent être ajoutées peu de temps avant la fin de la cuisson des plats.

La plupart des herbes sont ajoutées à la fin de la cuisson, pour ne pas qu'elles perdent leur parfum.

Les légumes sont généralement déposés au début de la cuisson, mais cela varie selon les recettes.

COMMENT ASSURER UNE CUISSON UNIFORME DES LÉGUMES ?

Utilisez des légumes de même taille. Les légumes racines nécessitant un temps de cuisson plus long que les légumes verts, tenez-en compte dans l'ordre d'intégration.

OÙ PLACER LA VIANDE ?

Il est très important de placer les légumes racines comme les carottes, panais et navets au fond de la mijoteuse. Déposez ensuite la viande par-dessus, puis versez les liquides. Les légumes plus fragiles doivent être posés sur la viande ou ajoutés en fin de cuisson.

EST-IL POSSIBLE D'AJOUTER DU VIN OU DE L'ALCOOL AUX RECETTES ?

Il est possible d'ajouter de l'alcool ou du vin aux recettes à la mijoteuse. Cependant, le résultat n'est jamais excellent puisque l'alcool ne s'évapore pas de la mijoteuse. Son goût reste donc prononcé et moins agréable que lors d'une cuisson régulière. Néanmoins, il est possible de préparer une sauce au vin en déglaçant la poêle après y avoir saisi la viande et avant de la mettre dans la cocotte. Laissez évaporer quelques minutes et ajoutez la viande dans la cocotte pour obtenir une sauce légèrement parfumée très agréable.

EST-IL POSSIBLE D'AJOUTER DES PRODUITS LAITIERS ?

L'ajout de crème, de lait ou de tout autre produit laitier se fait à la fin de la cuisson pour les empêcher de coaguler. Une cuisson trop longue n'est pas recommandée pour ce type de produit.

EST-IL POSSIBLE DE CUIRE DES ALIMENTS CONGELÉS ?

Les aliments doivent être décongelés avant de les intégrer dans la recette afin d'éviter la formation de bactéries.

EST-IL POSSIBLE D'UTILISER LES PLATS DE CUISSON À L'INTÉRIEUR DE LA MIJOTEUSE ?

Certaines recettes demandent à être cuites dans des moules ou des plats, par exemple les desserts ou le pain. Il suffit de placer quelques couvercles de conserve dans le fond de la cocotte et de déposer le plat dessus. Dans ce cas, il faut utiliser une grande mijoteuse ovale ou rectangulaire. Le temps de cuisson varie selon la taille du plat utilisé.

POURQUOI UTILISER DU PAPIER ALUMINIUM ?

Le papier aluminium aide à retirer les aliments délicats : poissons, pains de viande, pains... Il sert de support sous la cocotte et d'isolant du côté plus chaud de la mijoteuse.

EST-IL SÉCURITAIRE DE LAISSER LA MIJOTEUSE BRANCHÉE TOUTE LA JOURNÉE ?

La mijoteuse est un appareil très sécuritaire. Placez-la sur le comptoir de la cuisine à une distance d'environ 15 cm (6 po) des murs et des autres appareils domestiques. Il est tout à fait normal que la mijoteuse dégage un peu de chaleur. Si vous craignez d'abîmer le comptoir, placez-la sur une plaque de cuisson.

EST-IL SÉCURITAIRE DE TENIR LES ALIMENTS AU CHAUD DANS LA MIJOTEUSE APRÈS LEUR CUISSON ?

La plupart des mijoteuses sont munies de la fonction « Garder au chaud » (« Keep warm »), dont le voyant s'allume à la fin de la cuisson. Cette fonction très pratique sert à maintenir au chaud, à une température sécuritaire, les plats déjà cuits dans la mijoteuse. Cependant, n'en abusez pas car les aliments risquent d'être trop cuits et donc moins bons.

Cette fonction ne sert pas à réchauffer un plat froid et ne doit pas être utilisée à cette fin.

QUE FAIRE SI LA MIJOTEUSE S'EST ARRÊTÉE À CAUSE D'UNE PANNE D'ÉLECTRICITÉ ?

Il y a eu une panne d'électricité si la minuterie de la mijoteuse clignote.

Si vous êtes à la maison et qu'elle dure moins de 30 minutes, transférez les aliments dans une cocotte traditionnelle et terminez la cuisson au four ou sur une plaque chauffante.

En revanche, si vous n'êtiez pas à la maison lors de la panne, jetez le contenu de la mijoteuse car il est impossible de savoir à quel moment la panne a eu lieu.

LA COCOTTE EST-ELLE FRAGILE ?

Les cocottes de mijoteuses sont en général en céramique. Elles sont sensibles aux changements de température abrupts. Il faut donc éviter de mettre les cocottes chaudes sur un comptoir froid. Pour cela, placez un linge à vaisselle plié en deux sur le comptoir avant d'y déposer la cocotte. Si la cocotte a été réfrigérée, il est préférable de la laisser revenir à température ambiante avant de la placer dans la mijoteuse.

QUELQUES CONSEILS POUR LA CUISSON DU PAIN

- Utilisez un batteur sur socle muni d'un crochet à pâte pour mélanger et pétrir.

- Couvrez le fond de la mijoteuse de papier parchemin.

- Huilez bien les moules utilisés.

- Bien qu'il soit souvent conseillé de placer du papier aluminium entre la cocotte et le moule à pain, nous vous suggérons d'utiliser des cercles de couvercle à pots Mason comme support aux moules. L'air circulera ainsi plus facilement autour des moules.

- Ne manipulez pas la pâte une fois déposée dans le moule à pain.

- Le pain est cuit lorsque le thermomètre indique 95 °C (200 °F) au centre du pain.

- Le pain cuit en mijoteuse ne sera pas doré. Pour lui donner cet aspect appétissant et croustillant, passez-le au four à 210 °C (425 °F) pendant 5 à 8 minutes après la cuisson en mijoteuse.

- Le temps de cuisson varie selon la mijoteuse. Vérifiez le pain aux 15 minutes, après 90 minutes de cuisson, pour vous assurer qu'il est cuit à point.

DERNIER CONSEIL

Après la cuisson, au moment de retirer le couvercle, goûtez toujours votre plat pour en apprécier l'assaisonnement. C'est à ce moment qu'il est possible d'améliorer ou de transformer un plat en lui ajoutant une petite pincée de sel, de poivre, d'autres épices, une poignée de fines herbes hachées ou de piment, ou encore une louche de bouillon supplémentaire.

Soupes

La mijoteuse est l'outil parfait pour préparer les soupes. Les parfums ont le temps de se mélanger et de se développer. Plus longtemps la soupe mijote, meilleure elle devient.

Bouillon de bœuf épicé
aux petits oignons

PRÉPARATION : 20 MIN   CUISSON : 7 H 45   RÉFRIGÉRATION : 8 H
RENDEMENT : 1,5 L (6 TASSES)

INGRÉDIENTS

- 1,8 kg (4 lb) d'os de bœuf à moelle, en morceaux
- 450 g (1 lb) de bouts de côtes de bœuf
- 2 L (8 tasses) d'eau
- 3 échalotes, hachées
- 2 c. à soupe de sauce Worcestershire
- 2 carottes, hachées
- 2 branches de céleri, hachées
- 3 grains de poivre
- 2 c. à café de sel
- 1 feuille de laurier
- 2 piments forts, émincés
- 1 c. à café de sucre
- 450 g (2 ⅔ tasses) d'oignons perlés
- 3 branches d'origan
- 1 c. à café de cumin moulu

PRÉPARATION

Préchauffer le four à 220 °C (450 °F).

Déposer les os et les bouts de côtes de bœuf dans une grande lèchefrite. Cuire au four pendant 45 min.

Retirer la lèchefrite du four. Transférer les os et les bouts de côtes dans la cocotte de la mijoteuse. Verser l'eau. Ajouter les échalotes, la sauce Worcestershire, les carottes, le céleri, les grains de poivre, le sel, le laurier, les piments et le sucre. Couvrir. Cuire à basse température pendant 5 h.

À l'aide d'une cuillère trouée, retirer les os. Découper la viande autour des os et réserver. Jeter les os. Tamiser le bouillon au-dessus d'un grand bol. Jeter les légumes.

Remettre le bouillon dans la cocotte. Ajouter la viande réservée, les oignons perlés, l'origan et le cumin. Poursuivre la cuisson à haute température pendant 2 h.

Le plus de Claudette

J'utilise ce savoureux bouillon comme base pour mes soupes de légumes en hiver.

Conseil

Pour dégraisser le bouillon, versez-le dans un grand pot, couvrez et réfrigérez une nuit. Le lendemain, retirez le gras solidifié sur le dessus. Ce bouillon se conserve environ 4 jours au réfrigérateur ou jusqu'à 3 mois au congélateur.

Le plus d'Andrea

Pour un bouillon doux et plus parfumé, j'ajoute 125 ml (½ tasse) de porto avec les oignons perlés.

Bouillon de poulet à l'asiatique

PRÉPARATION : 20 MIN　　　　　CUISSON : 8 H　　　　　RENDEMENT : 2,5 L (10 TASSES)

INGRÉDIENTS

- 900 g (2 lb) de carcasse et d'ailes de poulet
- 1 cuisse de poulet sans peau
- 2 oignons, hachés
- 1 gousse d'ail, pelée
- 2 branches de céleri, hachées
- 2 carottes, pelées et hachées finement
- 1 tige de citronnelle, coupée en moitié
- 1 c. à café de graines de coriandre
- 2 étoiles de badiane (anis étoilé)
- 3 L (12 tasses) d'eau
- 2 c. à café de sel
- 3 grains de poivre noir
- 2 c. à soupe de coriandre

PRÉPARATION

Rincer la carcasse, les ailes et la cuisse de poulet sous l'eau fraîche. Déposer dans la cocotte de la mijoteuse. Ajouter les oignons, l'ail, le céleri, les carottes, la citronnelle, les graines de coriandre, la badiane, l'eau, le sel et les grains de poivre. Couvrir. Cuire à basse température pendant 8 h.

Verser délicatement le contenu de la cocotte dans une passoire placée sur un grand bol pour filtrer le bouillon, en pressant les aliments pour en extraire le liquide. Jeter les légumes et les os de poulet.

Ajouter la coriandre au bouillon. Mélanger. Servir.

Conseil

Si vous souhaitez dégraisser le bouillon, versez-le dans un grand pot, couvrez et réfrigérez une nuit. Le lendemain, retirez le gras solidifié sur le dessus et réchauffez le bouillon. Ce bouillon se conserve environ 4 jours au réfrigérateur ou jusqu'à 3 mois au congélateur.

Le plus de Claudette

Une fois le bouillon prêt, je le transfère dans des petits sacs de congélation pour en avoir toujours sous la main. Je peux ainsi préparer rapidement une soupe asiatique et faire oublier un gros rhume à mes petits-enfants.

Variante

Cette recette se prépare également avec du dindon.

Le plus d'Andrea

Pour faire plus authentique, j'ajoute 2 c. à soupe de nuoc-mâm (sauce de poisson) après la cuisson, juste avant de servir.

Chaudrée de poulet aux patates douces

PRÉPARATION : 15 MIN   CUISSON : 5 H 10 OU 7 H 10   6 PORTIONS

INGRÉDIENTS

- 3 c. à soupe de beurre
- 1 gros oignon, pelé et émincé
- 2 pommes de terre, pelées et coupées en dés
- 2 branches de céleri, hachées
- 1 poitrine de poulet sans peau, en cubes
- 3 patates douces, pelées et coupées en cubes
- 1 branche de thym
- 1 L (4 tasses) de bouillon de poulet
- 16 mini-épis de maïs en conserve, égouttés
- 1 c. à soupe de persil haché
- 250 ml (1 tasse) de crème légère 15 %
- Sel et poivre

Le plus de Claudette

J'ajoute une pincée de poudre de cari en même temps que les mini-épis de maïs. À essayer pour ouvrir les papilles.

Le plus d'Andrea

J'ajoute un mélange de 2 c. à soupe de cerfeuil et 2 c. à soupe de ciboulette juste avant de servir pour réveiller le goût de cette chaudrée.

PRÉPARATION

Dans un grand poêlon, faire fondre le beurre. Ajouter l'oignon, les pommes de terre et le céleri. Faire revenir à feu moyen pendant 5 min. Transférer dans la cocotte de la mijoteuse. Saler et poivrer.

Dans le même poêlon, ajouter les cubes de poulet. Faire sauter à feu moyen pendant 5 min.

Transférer les cubes de poulet dans la cocotte. Déposer les patates douces et le thym. Saler et poivrer. Verser le bouillon dans la cocotte. Couvrir. Cuire à haute température pendant 4 h ou à basse température pendant 6 h.

Transférer le contenu de la cocotte dans un robot culinaire, en réservant la moitié des cubes de patate douce et de poulet dans un bol. Mélanger par petits coups jusqu'à l'obtention d'une purée lisse.

Remettre la purée dans la cocotte. Ajouter les cubes de patate douce et de poulet réservés, les mini-épis de maïs et le persil. Verser la crème et mélanger. Couvrir. Cuire à haute température pendant 1 h.

Verser dans des bols et servir.

Ce potage procure du réconfort autant par sa couleur que par sa saveur douce et délicate.

Chaudrée de saumon

INGRÉDIENTS

- 450 g (1 lb) de filet de saumon, en cubes
- 2 c. à soupe d'huile d'olive extra vierge
- 2 oignons, hachés
- 2 pommes de terre, coupées en cubes
- 2 branches de céleri, hachées finement
- 250 ml (1 tasse) de maïs en crème en conserve
- 6 branches de fleur d'ail, hachées finement
- 1 L (4 tasses) de bouillon de légumes
- 1 feuille de laurier
- 500 ml (2 tasses) de lait
- Sel et poivre

Le plus de Claudette

Je mélange tout sans garder de morceaux de saumon. J'obtiens alors une crème lisse encore plus goûteuse à laquelle j'ajoute une pincée de poudre de cari épicée.

Le plus d'Andrea

Ce potage qui me rappelle mon enfance se transforme souvent au fil de mes envies. J'aime lui apporter une touche tex mex en y mettant en même temps que le lait 1 c. à café de cumin moulu.

PRÉPARATION

Saler et poivrer les cubes de saumon et laisser reposer.

Dans un grand poêlon, faire chauffer l'huile d'olive. Ajouter les oignons, les pommes de terre et le céleri. Faire revenir à feu moyen pendant 5 min.

Transférer le contenu du poêlon dans la cocotte de la mijoteuse. Saler et poivrer. Ajouter le maïs en crème. Mélanger. Ajouter les cubes de saumon et la moitié de la fleur d'ail. Verser le bouillon. Ajouter le laurier. Couvrir. Cuire à basse température pendant 5 h.

À l'aide d'une écumoire, retirer le laurier. Transférer le contenu de la cocotte dans un robot culinaire, en réservant la moitié des cubes de saumon dans un bol. Mélanger par petits coups jusqu'à l'obtention d'une purée presque lisse.

Remettre la purée dans la cocotte. Ajouter les cubes de saumon réservés, le lait et le reste de la fleur d'ail. Poursuivre la cuisson à haute température pendant 1 h.

Verser dans des bols et servir.

Variante

La fleur d'ail peut être remplacée par un mélange de 2 gousses d'ail hachées et 1 bouquet de ciboulette haché.

Crème de brocoli
au riz et à l'aneth

PRÉPARATION : 20 MIN   CUISSON : 4 H 40 OU 6 H 10   6 PORTIONS

INGRÉDIENTS

- 1 L (4 tasses) de bouillon de légumes
- 2 brocolis, coupés en petits bouquets
- 2 gousses d'ail, émincées
- 1 branche d'aneth
- 100 g (½ tasse) de riz à grain court
- 2 c. à soupe de beurre
- 2 oignons, émincés
- 500 ml (2 tasses) de lait tiède
- 2 c. à soupe d'aneth haché finement
- Sel et poivre

PRÉPARATION

Dans la cocotte de la mijoteuse, mélanger le bouillon, les brocolis, l'ail, la branche d'aneth et le riz.

Dans un poêlon, faire fondre le beurre. Ajouter les oignons. Faire revenir à feu moyen pendant 7 min. Transférer dans la cocotte et mélanger. Couvrir. Cuire à haute température pendant 4 h 30 ou à basse température pendant 6 h.

Transférer la soupe dans un robot culinaire en réservant quelques bouquets de brocoli dans une assiette. Verser le lait tiède et réduire en purée lisse. Saler et poivrer.

Verser dans une soupière. Incorporer l'aneth haché et les brocolis réservés. Servir immédiatement.

Le plus de Claudette

J'incorpore des tomates hachées en même temps que le riz pour apporter une touche d'acidité et de fraîcheur.

Le riz contribue à la texture crémeuse de ce potage.

Le plus d'Andrea

Je conseille de remplacer le lait par de la crème légère 15 % pour une texture un peu plus sucrée. L'utilisation de la crème rend ce potage encore plus velouté.

Variante

Ajoutez ½ c. à café de muscade moulue en même temps que le lait tiède pour une saveur intense.

Crème de champignons sauvages

PRÉPARATION : 25 MIN   MACÉRATION : 20 MIN   CUISSON : 4 H 50 OU 6 H 50

6 PORTIONS

INGRÉDIENTS

- 4 c. à soupe de champignons séchés entiers
- 500 ml (2 tasses) d'eau tiède
- 2 c. à soupe de beurre
- 3 échalotes, hachées
- 900 g (12 tasses) de champignons de Paris, coupés en quartiers
- 1 c. à café de sucre
- 2 branches de thym
- 500 ml (2 tasses) de bouillon de bœuf
- 1 c. à soupe de sauce Worcestershire
- 2 c. à soupe de sauce BBQ
- 250 ml (1 tasse) de crème légère 15 % tiède
- 2 c. à soupe de champignons séchés hachés
- Sel et poivre

Le plus de Claudette

En y mettant 2 carottes coupées en dés avec les champignons et le thym, cette soupe aura une note sucrée que les enfants adorent.

Le plus d'Andrea

Avant de servir, j'ajoute parfois des herbes ciselées pour apporter un peu de fraîcheur.

PRÉPARATION

Dans un bol, faire tremper les champignons séchés dans l'eau tiède pendant 20 min.

Dans une casserole, faire fondre le beurre. Ajouter les échalotes. Faire revenir à feu moyen pendant 5 min.

Transférer le contenu de la casserole dans la cocotte de la mijoteuse. Ajouter les champignons. Saupoudrer de sucre. Saler et poivrer. Ajouter le thym, la moitié des champignons séchés et tout le jus de macération. Réfrigérer le reste des champignons.

Dans la cocotte, verser le bouillon, la sauce Worcestershire et la sauce BBQ. Couvrir. Cuire à haute température pendant 4 h ou à basse température pendant 6 h.

Transférer la soupe dans un robot culinaire. Ajouter la crème tiède et réduire en purée lisse. Verser dans la cocotte. Ajouter les champignons réfrigérés. Cuire à haute température pendant 45 min.

Verser dans des bols. Garnir de champignons séchés hachés et de poivre. Servir.

Gombo de poulet

INGRÉDIENTS

- 2 c. à soupe d'huile végétale
- 2 c. à soupe de beurre
- 2 oignons, hachés
- 60 g (½ tasse) de farine tout usage
- 1 L (4 tasses) de bouillon de poulet
- 3 poitrines de poulet sans peau, en cubes
- 500 ml (2 tasses) de dés de tomate en conserve, avec le jus
- 2 branches de céleri, hachées
- 2 poivrons verts, coupés en dés
- 4 gousses d'ail, émincées
- 2 feuilles de laurier
- 1 c. à café d'origan séché
- 12 petits okras frais ou congelés, coupés en tronçons
- 2 c. à café de paprika
- ½ c. à café de piment séché broyé
- 450 g (1 lb) de grosses crevettes crues, décortiquées
- Sel et poivre

PRÉPARATION

Dans un grand poêlon, faire chauffer l'huile et faire fondre le beurre. Ajouter les oignons. Faire revenir à feu moyen pendant 7 min. Saupoudrer de farine et mélanger. Cuire en mélangeant au fouet pendant environ 5 min pour dorer la farine. Verser la moitié du bouillon. Porter à ébullition, en fouettant.

Transférer le contenu du poêlon dans la cocotte de la mijoteuse. Ajouter les cubes de poulet, les tomates, le céleri, les poivrons, l'ail, le laurier et l'origan séché. Verser le reste du bouillon et mélanger. Couvrir. Cuire à haute température pendant 4 h ou à basse température pendant 6 h.

Ajouter rapidement les okras, le paprika et le piment séché. Saler et poivrer. Couvrir. Poursuivre la cuisson à haute température pendant 1 h.

Ajouter rapidement les crevettes. Couvrir. Poursuivre la cuisson à haute température pendant 30 min.

À l'aide d'une écumoire, retirer le laurier. Verser dans des bols et servir.

Également connu sous le nom de gombo, l'okra est un légume méconnu, mais un incontournable de la cuisine cajun. Il a la particularité d'épaissir les sauces.

Le plus d'Andrea

Pour parfumer davantage ce plat, j'ajoute parfois quelques tranches de chorizo en même temps que le poulet.

Jardinière printanière à l'estragon

PRÉPARATION : 10 MIN   CUISSON : 5 H OU 8 H   8 PORTIONS

INGRÉDIENTS

- 2 L (8 tasses) de bouillon de légumes
- 1 morceau de jambon à l'os, cuit et effiloché
- 450 g (4 ½ tasses) de pois mange-tout
- 8 oignons verts, coupés en tronçons
- 2 poireaux, émincés
- 2 branches de céleri, coupées en dés
- 2 carottes, coupées en dés
- 2 navets, coupés en dés
- 2 grosses tomates, coupées en dés
- 1 gousse d'ail, émincée
- 2 c. à café d'estragon haché
- 4 c. à soupe de parmesan râpé
- Sel et poivre

PRÉPARATION

Dans la cocotte de la mijoteuse, mélanger le bouillon, le jambon, les pois mange-tout, les oignons verts, les poireaux, le céleri, les carottes, les navets, les tomates, l'ail et l'estragon. Saler et poivrer généreusement. Couvrir. Cuire à haute température pendant 5 h ou à basse température pendant 8 h.

À l'aide d'une écumoire, retirer le laurier. Ajouter le parmesan et mélanger. Verser dans des bols et servir.

Le plus de Claudette

Les enfants adorent la soupe goûteuse et crémeuse. J'obtiens cette texture en incorporant 250 ml (1 tasse) de crème de tomate à la première étape. Je sers cette soupe avec des croûtons.

Minestrone aux fleurs de courgette

PRÉPARATION : 30 MIN   CUISSON : 5 H 30 OU 7 H 30   8 PORTIONS

INGRÉDIENTS

- 4 carottes, coupées en rondelles
- 1 oignon, émincé
- 2 branches de céleri, coupées en dés
- 1 fenouil, haché
- 4 tomates, coupées en dés
- 2 gousses d'ail, émincées
- 1,5 L (6 tasses) de bouillon de bœuf
- 150 g (1 tasse) de petits pois frais ou surgelés
- 1 bouquet de brocolini (ou 1 brocoli, coupé en petits bouquets)
- 3 courgettes, coupées en dés
- 1 c. à soupe de basilic séché
- 2 c. à café d'origan séché
- 225 g (8 oz) de petites pâtes (ditalini, fregula, orzo)
- Sel et poivre

Petits farcis

- 110 g (4 oz) de veau haché ou de poulet haché
- 3 c. à soupe de chapelure fine
- 1 gros œuf, battu
- 1 c. à soupe de persil haché finement
- 1 c. à soupe de ciboulette hachée finement
- ¼ c. à café de filaments de safran
- 8 petites courgettes avec les fleurs

PRÉPARATION

Dans la cocotte de la mijoteuse, déposer les carottes, l'oignon, le céleri, le fenouil, les tomates et l'ail. Verser le bouillon. Couvrir. Cuire à haute température pendant 4 h ou à basse température pendant 6 h.

Ajouter rapidement les petits pois, le brocolini, les courgettes, le basilic, l'origan et les pâtes. Couvrir. Cuire à haute température pendant 30 min. Saler et poivrer.

Pendant ce temps, préparer les petits farcis. Dans un bol, mélanger la viande hachée, la chapelure, l'œuf, le persil, la ciboulette et le safran. Retirer très délicatement le pistil à l'intérieur des fleurs de courgette. À l'aide d'une petite cuillère, farcir les fleurs de courgette du mélange. Transférer délicatement dans la cocotte. Poursuivre la cuisson à haute température pendant 1 h.

À l'aide d'une écumoire, retirer délicatement les courgettes farcies et répartir sur des assiettes. Verser la soupe dans des bols et servir avec les petits farcis.

Le plus d'Andrea

Voici ma soupe préférée à laquelle j'aime ajouter une pincée de safran en même temps que les pâtes.

Variante

Les pâtes peuvent être remplacées par du riz ou des dés de pommes de terre.

Oignons et bacon à la crème

INGRÉDIENTS

- 2 c. à soupe d'huile d'olive extra vierge
- 4 tranches de bacon, hachées
- 8 gros oignons, émincés
- 2 pommes de terre, pelées et coupées en dés
- 1 c. à soupe de sauce Worcestershire
- 1 L (4 tasses) de bouillon de bœuf
- 2 tranches de bacon, coupées en dés
- 1 poignée de pousses de radis
- Sel et poivre

Le plus de Claudette

C'est une excellente façon de faire manger des oignons à ceux qui n'en apprécient pas la texture. Je remplace quelquefois le bacon par de la pancetta coupée en dés : dans ce cas, réduisez la quantité de sel.

Le plus d'Andrea

Je remplace parfois l'huile d'olive extra vierge par 3 c. à soupe de gras de canard, ce qui relève même le goût du bacon.

PRÉPARATION

Dans un grand poêlon, faire chauffer l'huile d'olive. Ajouter le bacon haché et les oignons. Faire revenir à feu moyen pendant 8 min.

Transférer le contenu du poêlon dans la cocotte de la mijoteuse. Saler et poivrer généreusement. Ajouter les pommes de terre. Arroser de sauce Worcestershire et de bouillon. Couvrir. Cuire à haute température pendant 4 h ou à basse température pendant 7 h.

Transférer le contenu de la cocotte dans un robot culinaire. Mélanger par petits coups jusqu'à l'obtention d'une purée lisse. Remettre la purée dans la cocotte. Couvrir. Cuire à haute température pendant 45 min.

Pendant ce temps, dans un poêlon, faire revenir les dés de bacon à feu moyen pendant environ 8 min ou jusqu'à ce qu'ils soient dorés.

Répartir la crème d'oignon dans des bols. Garnir de dés de bacon et de pousses de radis. Servir.

Variante

Le bouillon de bœuf peut être remplacé par du bouillon de légumes : le goût final sera toutefois moins riche.

Potage Crécy

INGRÉDIENTS

- 1 c. à soupe d'huile d'olive extra vierge
- 2 poireaux, émincés
- 2 pommes de terre, pelées et coupées en dés
- 6 grosses carottes, pelées et coupées en tranches fines
- 1 c. à soupe de zeste d'orange râpé finement
- 2 feuilles de laurier
- 1,5 L (6 tasses) de bouillon de légumes ou de bouillon de poulet
- 125 ml (½ tasse) de crème à fouetter 35 %
- 1 c. à soupe de cerfeuil haché
- Sel et poivre

PRÉPARATION

Dans un grand poêlon, faire chauffer l'huile d'olive. Ajouter les poireaux, les pommes de terre et les carottes. Faire revenir à feu moyen pendant 7 min.

Transférer le contenu du poêlon dans la cocotte de la mijoteuse. Saler et poivrer. Ajouter le zeste d'orange et le laurier. Verser le bouillon. Couvrir. Cuire à haute température pendant 4 h ou à basse température pendant 8 h.

À l'aide d'une écumoire, retirer le laurier. Mélanger le contenu de la mijoteuse au mixeur plongeur jusqu'à l'obtention d'une purée lisse.

Verser dans des bols. Arroser chaque bol d'un peu de crème et garnir de cerfeuil. Servir.

Le plus de Claudette

Je remplace souvent la crème par du lait et j'ajoute une bonne pincée de muscade avant de réduire les légumes en purée.

Le plus d'Andrea

Pour donner de la profondeur au potage, je mets 1 pincée de cari moulu et 60 ml (¼ tasse) de jus d'orange avec le bouillon.

Soupe asiatique aux crevettes

PRÉPARATION : 25 MIN   CUISSON : 3 H 30 OU 6 H 30   8 PORTIONS

INGRÉDIENTS

- 2 c. à soupe d'huile de sésame
- 1 oignon, émincé
- 1 morceau de gingembre frais de 2,5 cm (1 po), pelé et émincé
- 1 poivron rouge, coupé en lanières
- 6 champignons, hachés finement
- 1,5 L (6 tasses) de bouillon de légumes
- 3 gousses d'ail, émincées
- 1 brocoli, coupé en bouquets
- 2 morceaux de zeste d'orange
- 1 étoile de badiane (anis étoilé)
- 1 c. à café de graines de fenouil
- 1 c. à soupe de sambal oelek (sauce pimentée)
- 900 g (2 lb) de crevettes crues décortiquées
- 2 c. à soupe de sauce aux huîtres
- 225 g (1 tasse) de jeunes épinards
- 60 ml (¼ tasse) de jus de citron frais
- 3 c. à soupe de coriandre hachée
- 1 citron, coupé en tranches
- Sel et poivre

PRÉPARATION

Dans un grand poêlon, faire chauffer l'huile. Ajouter l'oignon, le gingembre et le poivron. Faire revenir pendant 5 min.

Transférer le contenu du poêlon dans la cocotte de la mijoteuse. Saler et poivrer. Ajouter les champignons, le bouillon, l'ail, le brocoli, le zeste d'orange, la badiane, les graines de fenouil et le sambal oelek. Couvrir. Cuire à haute température pendant 3 h ou à basse température pendant 6 h.

Ajouter rapidement les crevettes, la sauce aux huîtres, les épinards et le jus de citron. Poursuivre la cuisson à haute température pendant 25 min.

À l'aide d'une écumoire, retirer la badiane. Ajouter la coriandre hachée et les tranches de citron. Servir.

Cette belle soupe fraîche et colorée aux parfums d'Orient se sert autant en repas qu'en entrée.

Soupe au brocoli et aux carottes

INGRÉDIENTS

- 2 c. à soupe d'huile d'olive extra vierge
- 1 oignon, émincé
- 2 brocolis, coupés en bouquets
- 3 carottes, pelées et coupées en dés
- 1,5 L (6 tasses) de bouillon de légumes
- ½ c. à café de piment séché moulu
- 60 ml (¼ tasse) de jus de citron
- Sel et poivre

Le plus de Claudette

Je remplace le jus de citron par la même quantité de lait évaporé pour une consistance crémeuse légère.

Le plus d'Andrea

Une fois servie, je saupoudre la soupe de pecorino râpé à la manière des Italiens.

PRÉPARATION

Dans un poêlon, faire chauffer l'huile d'olive. Ajouter l'oignon et faire revenir à feu moyen pendant 5 min.

Transférer le contenu du poêlon dans la cocotte de la mijoteuse. Ajouter la moitié des brocolis, les carottes et le bouillon. Saler et poivrer. Cuire à haute température pendant 4 h ou à basse température pendant 6 h.

À l'aide d'une écumoire, retirer les légumes de la cocotte. Transférer dans un grand bol. Les écraser grossièrement à la fourchette. Remettre dans la cocotte. Ajouter le reste des brocolis, le piment séché et le jus de citron. Couvrir. Poursuivre la cuisson à haute température pendant 45 min.

Verser dans des bols et servir.

Soupe aux échalotes et aux oignons caramélisés

PRÉPARATION : 20 MIN   CUISSON : 5 H 25 OU 8 H 25   6 PORTIONS

INGRÉDIENTS

- 3 c. à soupe de beurre
- 8 échalotes, coupées en moitié
- 30 petits oignons, pelés
- 3 c. à soupe de sucre
- 1 c. à café de poivre blanc moulu
- 250 ml (1 tasse) de porto
- 1 grosse carotte, pelée et coupée en dés
- 1 feuille de laurier
- 3 branches de thym
- 2 L (8 tasses) de bouillon de légumes
- 1 c. à soupe de vinaigre balsamique
- Sel

PRÉPARATION

Dans un grand poêlon, faire fondre le beurre. Ajouter les échalotes et les oignons. Faire revenir à feu moyen pendant 8 min. Saupoudrer de sucre et de poivre. Cuire en remuant pendant environ 8 min ou jusqu'à ce que les légumes soient légèrement caramélisés. Verser le porto et porter à ébullition.

Transférer le contenu du poêlon dans la cocotte de la mijoteuse. Ajouter la carotte, le laurier, le thym et le bouillon. Saler. Couvrir. Cuire à haute température pendant 5 h ou à basse température pendant 8 h.

À l'aide d'une écumoire, retirer le laurier. Ajouter le vinaigre balsamique et mélanger. Verser dans des bols et servir.

Le plus de Claudette

Le goût des oignons me plaît, mais je n'aime pas trop leur texture. Je passe donc la soupe pour n'en conserver que le bouillon. Avant de servir, je dépose 1 c. à soupe de porto dans chaque bol puis je verse le consommé : c'est divin !

Le plus d'Andrea

En même temps que le vinaigre balsamique, j'ajoute 100 g (1 tasse) de gruyère râpé pour donner du corps et un air de gratin à la soupe.

Soupe aux légumes et au chou

INGRÉDIENTS

- 3 c. à soupe d'huile d'olive extra vierge
- 1 gros oignon, émincé
- 2 poireaux, émincés
- 1 panais, coupé en dés
- 4 carottes, coupées en bâtonnets
- 4 branches de céleri, coupées en dés
- 2 gousses d'ail, émincées
- 1 chou vert moyen, émincé
- 1 feuille de laurier
- 1 clou de girofle
- 1 c. à soupe de cassonade
- 2 L (8 tasses) de bouillon de légumes
- 1 ½ c. à café de piment séché broyé
- Sel et poivre

PRÉPARATION

Dans un grand poêlon, faire chauffer l'huile d'olive. Ajouter l'oignon et les poireaux. Faire revenir à feu moyen pendant 5 min. Ajouter le panais, les carottes, le céleri et l'ail. Faire revenir pendant 4 min.

Transférer le contenu du poêlon dans la cocotte de la mijoteuse. Ajouter le chou, le laurier, le clou de girofle et la cassonade. Mélanger. Saler et poivrer. Verser le bouillon. Couvrir. Cuire à haute température pendant 2 h 30 ou à basse température pendant 4 h.

À l'aide d'une écumoire, retirer le clou de girofle et le laurier. Saupoudrer de piment séché. Verser dans des bols et servir.

Variante
Le panais peut être remplacé par 1 petit navet ou 1 grosse pomme de terre.

Le plus de Claudette
Cette soupe constitue un excellent repas en y ajoutant un reste de poulet ou de bœuf en cubes.

Cette soupe réconfortante se prépare bien avec les restes de légumes.

Le plus d'Andrea
Si vous aimez les saveurs chaudes, mettez 1 piment oiseau ou jalapeño en même temps que le chou.

Soupe de lentilles à l'indienne

INGRÉDIENTS

- 1 c. à café de graines de fenouil
- 1 c. à café de graines de cumin
- 1 c. à café de graines de coriandre
- 1 clou de girofle
- 6 grains de poivre
- 2 L (8 tasses) de bouillon de poulet
- 400 g (2 tasses) de lentilles
- 1 gros oignon, haché
- 2 gousses d'ail, émincées
- 1 ½ c. à café de curcuma moulu
- 2 limes
- 250 ml (1 tasse) de lait évaporé non sucré
- 1 c. à café de piment moulu
- Sel

PRÉPARATION

Dans un moulin à café, broyer les graines de fenouil, les graines de cumin, les graines de coriandre, le clou de girofle et les grains de poivre jusqu'à l'obtention d'une fine mouture. Réserver.

Dans la cocotte de la mijoteuse, mélanger le bouillon, les lentilles, l'oignon, l'ail et le curcuma. Couvrir. Cuire à haute température pendant 6 h ou à basse température pendant 8 h.

À l'aide d'un petit couteau, retirer le zeste des limes puis le découper en lanières. Réserver. Presser les limes pour en récupérer le jus.

Dans la cocotte, ajouter le lait évaporé, le jus de lime et le mélange d'épices. Saler. Mélanger. Poursuivre la cuisson pendant 30 min à haute température.

Verser la soupe dans des bols. Garnir de lanières de zeste de lime et de piment moulu. Servir.

Soupe à l'oignon et à la saucisse

PRÉPARATION : 10 MIN   CUISSON : 5 H 15 OU 8 H 15   8 PORTIONS

INGRÉDIENTS

- 2 c. à soupe d'huile d'olive extra vierge
- 4 gros oignons, pelés et émincés
- 4 oignons blancs, pelés et émincés
- 250 ml (1 tasse) de porto blanc
- 2 c. à soupe de sauce Worcestershire
- 2 branches de thym
- 1 feuille de laurier
- 2 saucisses Nurnberg, coupées en tranches
- 2 L (8 tasses) de bouillon de bœuf
- Sel et poivre

PRÉPARATION

Dans un grand poêlon, faire chauffer l'huile d'olive. Ajouter tous les oignons et faire revenir à feu moyen pendant 8 min. Saler et poivrer généreusement. Arroser de porto et porter à ébullition.

Transférer le contenu du poêlon dans la cocotte de la mijoteuse. Ajouter la sauce Worcestershire, le thym, le laurier et les saucisses. Verser le bouillon. Couvrir. Cuire à haute température pendant 5 h ou à basse température pendant 8 h.

Répartir dans des bols et servir.

> *Conseils*
>
> L'utilisation d'un mélange d'oignons blancs, jaunes ou rouges donne une soupe aux saveurs plus complexes.
>
> Variez les saucisses (italiennes douces ou épicées, merguez ou frankfurter) pour découvrir de nouvelles versions de ce classique.

Soupe à l'orge, au poulet et aux champignons

PRÉPARATION : 20 MIN   CUISSON : 5 H OU 8 H   6 PORTIONS

INGRÉDIENTS

- 4 c. à soupe de beurre
- 2 oignons, hachés
- 2 poireaux, émincés
- 1 poitrine de poulet, en cubes
- 2 L (8 tasses) de bouillon de poulet
- 1 cube de bouillon de champignons
- 1 branche de thym
- 95 g (½ tasse) d'orge perlé
- 450 g (16 tasses) de champignons, coupés en tranches épaisses
- 3 branches de kale, hachées
- 2 c. à soupe de persil haché
- 125 ml (½ tasse) de crème sure (facultatif)
- Sel et poivre

PRÉPARATION

Dans un grand poêlon, faire fondre la moitié du beurre. Ajouter les oignons et les poireaux. Faire revenir à feu moyen pendant 5 min. Ajouter les cubes de poulet. Faire revenir pendant 4 min.

Transférer le contenu du poêlon dans la cocotte de la mijoteuse. Saler et poivrer. Verser le bouillon. Ajouter le cube de bouillon, le thym et l'orge perlé. Saler et poivrer. Cuire à haute température pendant 4 h ou à basse température pendant 7 h.

Dans un poêlon, faire fondre le reste du beurre. Ajouter les champignons et faire revenir à feu moyen pendant 5 min. Saler et poivrer. Transférer dans la cocotte. Ajouter le kale et le persil. Poursuivre la cuisson à haute température pendant 45 min.

Verser dans des bols et servir avec la crème sure.

Le plus de Claudette

Juste avant de servir, je transfère la soupe dans un robot culinaire pour la transformer en un fin potage que je sers avec des petits croûtons.

Le plus d'Andrea

J'ajoute souvent 1 c. à café de piment de la Jamaïque et 1 c. à café de paprika fumé en même temps que les champignons pour en exalter la saveur.

Soupe aux pois cassés et aux pommes

PRÉPARATION : 20 MIN   RÉFRIGÉRATION : 8 H   CUISSON : 5 H 10 OU 9 H 10

6 PORTIONS

INGRÉDIENTS

- 900 g (2 ½ tasses) de pois cassés, rincés et égouttés
- 4 c. à soupe de beurre
- 2 oignons, coupés en dés
- 2 branches de céleri, coupées en dés
- 2 gousses d'ail, émincées
- 3 pommes, pelées et coupées en dés
- ½ c. à café de moutarde en poudre
- 1 branche de thym
- 1 feuille de laurier
- 2 carottes entières, pelées
- 2,5 L (10 tasses) de bouillon de poulet
- ½ c. à café de paprika
- 1 c. à café de graines de coriandre
- ½ c. à café de graines de moutarde
- 1 c. à café de graines de cumin
- 2 pommes non pelées, coupées en bâtonnets
- 2 c. à soupe de ciboulette hachée
- Sel et poivre

PRÉPARATION

Placer les pois cassés dans un grand bol et recouvrir d'eau froide. Laisser tremper pendant 8 h.

Égoutter les pois cassés puis les rincer. Les déposer au fond de la cocotte de la mijoteuse.

Dans un poêlon, faire fondre 3 c. à soupe de beurre. Ajouter les oignons, le céleri et l'ail. Faire revenir à feu moyen pendant 5 min. Transférer sur les pois cassés. Poivrer. Ajouter les dés de pomme, la moutarde, le thym, le laurier et les carottes. Verser le bouillon. Couvrir. Cuire à haute température pendant 5 h ou à basse température pendant 9 h.

Dans un bol, mélanger le paprika, les graines de coriandre, les graines de moutarde et les graines de cumin. Réserver.

Environ 15 min avant la fin de la cuisson, dans un poêlon, faire fondre le reste du beurre. Ajouter les bâtonnets de pomme. Faire sauter à feu moyen pendant 4 min. Ajouter la ciboulette et la moitié du mélange d'épices.

À l'aide d'une écumoire, retirer les carottes, le laurier et le thym. Mélanger la soupe à la cuillère de bois. Répartir dans des bols. Garnir de bâtonnets de pomme et du reste du mélange d'épices.

Cette soupe se conserve jusqu'à 6 mois au congélateur.

Le plus de Claudette
Je remplace souvent 500 ml (2 tasses) de bouillon par la même quantité de jus de pomme pour que la soupe soit encore plus douce.

Le plus d'Andrea
Apportez de la fraîcheur en ajoutant 1 petit fenouil haché avec les oignons.

Soupe de tomates à la mexicaine

PRÉPARATION : 20 MIN   CUISSON : 4 H 10 OU 6 H 10   6 PORTIONS

INGRÉDIENTS

- 2 c. à soupe d'huile végétale
- 2 oignons, émincés
- 1 poivron vert, coupé en dés
- 2 petits poivrons orange, coupés en tranches
- 500 ml (2 tasses) de dés de tomate en conserve, avec le jus
- 1 L (4 tasses) de bouillon de légumes
- 250 g (1 tasse) de haricots rouges en conserve, égouttés
- 250 g (1 tasse) de maïs en grains
- ¼ c. à café de piment de Cayenne
- 1 c. à café de cumin moulu
- 1 c. à café d'origan séché
- 2 tortillas de blé, coupées en lanières
- Sel et poivre

PRÉPARATION

Dans un poêlon, faire chauffer l'huile. Ajouter les oignons. Cuire à feu moyen pendant 3 min. Ajouter les poivrons. Faire revenir pendant 4 min.

Transférer le contenu du poêlon dans la cocotte de la mijoteuse. Saler et poivrer. Ajouter les tomates et leur jus, le bouillon, les haricots rouges, le maïs, le piment de Cayenne, le cumin et l'origan séché. Couvrir. Cuire à haute température pendant 4 h ou à basse température pendant 6 h.

Verser dans des bols. Garnir de lanières de tortilla et servir.

Le plus d'Andrea

Pour donner du punch, je sers cette soupe en hiver avec un petit verre de tequila que je verse dans la soupe juste avant de la manger.

Le plus de Claudette

J'ajoute de la coriandre hachée juste avant de servir pour accentuer le goût mexicain.

Viandes

Avec la mijoteuse, toutes les viandes deviennent fondantes, juteuses et savoureuses, quelle que soit leur coupe.

Bourguignon d'agneau

INGRÉDIENTS

- 4 c. à soupe de farine tout usage
- 1 c. à café de sel
- 1 c. à café de poivre moulu
- 900 g (2 lb) de gigot d'agneau, en cubes
- 60 ml (¼ tasse) d'huile d'olive extra vierge
- 1 oignon, haché
- 4 carottes, pelées et coupées en tronçons
- 450 g (6 tasses) de champignons de Paris, coupés en moitié
- 450 g (2 ⅔ tasses) d'oignons perlés, pelés
- 2 gousses d'ail, émincées
- 750 ml (3 tasses) de vin rouge
- 2 c. à soupe de pâte de tomate
- 2 c. à soupe de sauce demi-glace
- 750 ml (3 tasses) de bouillon de bœuf
- Le zeste d'une orange, en un morceau
- 1 branche de thym
- 1 feuille de laurier
- 3 c. à soupe de ciboulette hachée

Sous ses airs simples, ce classique cache un repas savoureux.

PRÉPARATION

Dans un bol, mélanger la farine, le sel et le poivre. Ajouter les cubes d'agneau et mélanger.

Dans un poêlon, faire chauffer la moitié de l'huile d'olive. Ajouter les cubes d'agneau. Faire revenir à feu moyen-vif pendant environ 6 min pour les dorer de tous les côtés. Transférer dans la cocotte de la mijoteuse.

Dans le même poêlon, ajouter le reste de l'huile d'olive, l'oignon, les carottes, les champignons, les oignons perlés et l'ail. Faire sauter à feu moyen pendant 5 min. Verser le vin. Porter à ébullition. Incorporer la pâte de tomate et la sauce demi-glace.

Transférer le contenu du poêlon dans la cocotte. Verser le bouillon. Ajouter le zeste d'orange, le thym et le laurier. Mélanger. Couvrir. Cuire à haute température pendant 4 h ou à basse température pendant 6 h.

À l'aide d'une écumoire, retirer le zeste d'orange et le laurier. Garnir de ciboulette et servir avec du bon pain.

Le plus d'Andrea

C'est un plat exceptionnel qui demande des ingrédients de qualité. Comme le conseillait mon amie Julia Child, n'hésitez pas à utiliser le même vin pour la cuisson que celui que vous servez pour l'accompagner. Il ajoute de l'ampleur au plat et une belle harmonie à tout le repas. Je vous recommande un vin de bourgogne jeune et fleuri.

Cari d'agneau

PRÉPARATION : 15 MIN   CUISSON : 6 H 20   6 PORTIONS

INGRÉDIENTS

- 4 c. à soupe de farine tout usage
- 2 c. à café de sel
- 1 c. à soupe de curcuma
- 1 c. à café de coriandre moulue
- 1 c. à café de gingembre moulu
- 1 c. à soupe de cumin moulu
- 1 c. à café de piment fort moulu
- 900 g (2 lb) de gigot d'agneau, en cubes
- 2 c. à soupe d'huile d'arachide
- 8 gousses d'ail, pelées
- 1 oignon, pelé et émincé
- 3 poireaux, émincés
- 1 L (4 tasses) de bouillon de bœuf
- 3 feuilles de lime kaffir
- 675 g (4 ½ tasses) de petites carottes rondes
- 2 panais, pelés et coupés en cubes
- 1 lime, coupée en tranches fines

PRÉPARATION

Dans un bol, mélanger la farine, le sel, le curcuma, la coriandre, le gingembre, le cumin et le piment fort. Ajouter les cubes d'agneau et mélanger.

Dans un poêlon, faire chauffer l'huile. Ajouter l'ail, l'oignon et les poireaux. Faire revenir à feu moyen pendant 3 min. Ajouter les cubes d'agneau. Faire revenir pendant environ 8 min pour les dorer de tous les côtés.

Verser le bouillon dans le poêlon. Porter à ébullition, en remuant.

Retirer le poêlon du feu. Transférer les légumes et la viande dans la cocotte de la mijoteuse. Ajouter les feuilles de lime kaffir. Couvrir. Cuire à basse température pendant 4 h.

Ajouter rapidement les carottes et les panais. Mélanger. Poursuivre la cuisson à haute température pendant 2 h.

Répartir la viande et les légumes dans des assiettes creuses. Garnir de tranches de lime avant de servir.

Le plus de Claudette

Lorsque j'étais enfant, nous ne connaissions pas le cari. C'est un plat savoureux que ma famille a appris à connaître au fil du temps. Mes petits-enfants sont très ouverts à cette cuisine des plus agréables. Pour ce plat, je préfère retirer le piment fort.

Le plus d'Andrea

Voici l'un des premiers plats que j'ai cuisinés avec mon mari il y a longtemps. Aujourd'hui, avec la mijoteuse, je le prépare rapidement pour son plus grand bonheur. Je le sers avec du riz et un chutney pour lui donner un goût authentique.

Cubes d'agneau à la grecque

PRÉPARATION : 20 MIN   CUISSON : 6 H 40   6 PORTIONS

INGRÉDIENTS

- 2 c. à soupe d'huile d'olive extra vierge
- 2 oignons rouges, coupés en dés
- 1 poivron jaune, coupé en cubes
- 1 poivron rouge, coupé en cubes
- 900 g (2 lb) de gigot d'agneau, en cubes
- 3 gousses d'ail, pelées et hachées finement
- 4 tomates moyennes, coupées en dés
- 1,5 L (6 tasses) de bouillon de bœuf
- 1 c. à soupe d'origan séché
- 1 c. à café de thym séché
- 16 olives noires dénoyautées
- 1 bouquet d'épinards
- Sel et poivre

PRÉPARATION

Dans un poêlon, faire chauffer l'huile d'olive. Ajouter les oignons. Faire revenir à feu moyen pendant 3 min. Ajouter les poivrons. Faire revenir pendant 2 min. Ajouter les cubes d'agneau et l'ail. Faire revenir pendant environ 8 min ou jusqu'à ce que la viande soit dorée. Saler et poivrer généreusement. Ajouter les tomates, le bouillon, l'origan séché et le thym séché. Porter à ébullition, en remuant.

Retirer le poêlon du feu. Transférer la viande et les légumes dans la cocotte de la mijoteuse. Couvrir. Cuire à basse température pendant environ 6 h ou jusqu'à ce que la viande soit tendre.

Ajouter rapidement les olives et les épinards. Poursuivre la cuisson à haute température pendant 20 min.

Répartir la viande et les légumes dans des assiettes creuses. Servir avec du pain.

Jarrets d'agneau à l'ail

PRÉPARATION : 20 MIN   CUISSON : 7 H 25   4 PORTIONS

INGRÉDIENTS

- 3 c. à soupe d'huile d'olive extra vierge
- 4 tranches de jarret d'agneau
- 2 oignons, émincés
- 250 ml (1 tasse) de vin rouge sec
- 500 ml (2 tasses) de sauce demi-glace
- 500 ml (2 tasses) de bouillon de champignons ou de bouillon de bœuf
- 1 branche de thym
- 6 têtes d'ail, les gousses pelées
- 24 gros champignons de Paris, coupés en tranches
- Sel et poivre

PRÉPARATION

Dans un grand poêlon, faire chauffer l'huile d'olive. Ajouter les tranches de jarret. Faire revenir à feu vif pendant environ 8 min pour les dorer de tous les côtés. Transférer la viande dans la cocotte de la mijoteuse. Saler et poivrer.

Dans le même poêlon, faire revenir les oignons à feu moyen pendant 4 min. Verser le vin. Porter à ébullition et laisser réduire pendant 5 min. Ajouter la sauce demi-glace, le bouillon et le thym. Transférer dans la cocotte. Ajouter les gousses d'ail et les champignons. Couvrir. Cuire à basse température pendant 7 h.

Répartir la viande et les légumes dans des assiettes. Servir.

> *Le plus de Claudette*
> L'ail, c'est le parfum qui fait du bien. J'en ajoute plus ou moins, selon mon humeur.

> *L'ail et l'agneau sont des amis de toujours. Dans ce plat, la cuisson lente de l'ail libère ses parfums dans le bouillon.*

Boulettes de bœuf à la mexicaine

PRÉPARATION : 40 MIN | RÉFRIGÉRATION : 1 H | CUISSON : 5 H 15
4 PORTIONS

INGRÉDIENTS

- 450 g (1 lb) de bœuf haché
- 450 g (1 lb) de porc haché
- 2 œufs
- 110 g (1 tasse) de chapelure fine
- 1 c. à café de zeste de citron râpé finement
- 1 c. à café de cumin moulu
- ½ c. à café de coriandre moulue
- 3 c. à soupe de farine tout usage
- 60 ml (¼ tasse) d'huile végétale
- 1 gros poivron vert, coupé en cubes
- 1 piment jalapeño, émincé
- 4 tomates moyennes, coupées en dés
- 500 ml (2 tasses) de coulis de tomate
- 250 ml (1 tasse) de jus de tomate
- 1 c. à café d'origan séché
- 2 patates douces, pelées et coupées en cubes
- 16 tomates cerises
- Sel et poivre

PRÉPARATION

Dans un grand bol, mélanger les viandes hachées, les œufs, la chapelure, le zeste de citron, le cumin et la coriandre. Saler et poivrer. Façonner des petites boulettes et les transférer sur une assiette. Réfrigérer pendant 1 h.

Retirer l'assiette du réfrigérateur. Saupoudrer les boulettes de farine.

Dans un poêlon, faire chauffer 3 c. à soupe d'huile. Ajouter les boulettes. Faire revenir à feu moyen pendant environ 8 min ou jusqu'à ce qu'elles soient dorées de tous les côtés. Transférer dans la cocotte de la mijoteuse.

Dans le même poêlon, ajouter le reste de l'huile, le poivron et le piment. Faire revenir à feu moyen pendant 5 min.

Transférer le contenu dans la cocotte de la mijoteuse. Ajouter les tomates, le coulis de tomate, le jus de tomate et l'origan séché. Saler et poivrer. Couvrir. Cuire à haute température pendant 4 h.

Ajouter rapidement les patates douces et les tomates cerises. Couvrir. Poursuivre la cuisson à haute température pendant 1 h.

Répartir les boulettes et les légumes dans des assiettes. Servir.

Le plus de Claudette

J'incorpore 3 c. à soupe de crème légère 15 % à la fin de la cuisson pour obtenir une sauce crémeuse. Pour amuser mes petits-enfants, je sers ces boulettes avec des tacos, de la laitue et de la crème sure.

Le plus d'Andrea

Ceux qui, comme mon mari, aiment les mets épicés, peuvent ajouter 1 piment fort émincé à la sauce avant la cuisson ou encore servir avec des piments au vinaigre égouttés.

Chili de bœuf et de veau

INGRÉDIENTS

- 3 c. à soupe d'huile végétale
- 1 oignon, émincé
- 2 gousses d'ail, émincées finement
- 2 piments jalapeño, hachés finement
- 450 g (1 lb) de bœuf haché
- 450 g (1 lb) de veau haché
- 1 L (4 tasses) de coulis de tomate
- 500 ml (2 tasses) de bouillon de bœuf
- 400 g (2 tasses) de haricots noirs en conserve, égouttés
- 400 g (2 tasses) de haricots rouges en conserve, égouttés
- ½ c. à café de cassonade
- 1 c. à café de poudre d'oignon
- 1 c. à café de cumin moulu
- ½ c. à café d'origan séché
- Sel et poivre

PRÉPARATION

Dans un grand poêlon, faire chauffer l'huile. Ajouter l'oignon, l'ail et les piments. Faire revenir à feu moyen pendant 3 min. Ajouter les viandes hachées. Faire revenir pendant 5 min, en remuant souvent. Saler et poivrer.

Transférer le contenu dans la cocotte de la mijoteuse. Verser le coulis de tomate et le bouillon. Ajouter les haricots noirs et rouges, la cassonade, la poudre d'oignon, le cumin et l'origan séché. Mélanger. Couvrir. Cuire à haute température pendant 5 h ou à basse température pendant 7 h.

Répartir le chili dans des assiettes creuses. Servir.

Ce chili se conserve jusqu'à un mois au congélateur.

Le plus d'Andrea

Les saveurs de ce plat continuent de se développer même après la cuisson. Préparez-le quelques jours à l'avance, vous n'aurez qu'à le réchauffer et vous régaler.

Le plus de Claudette

Je fais mijoter ce plat durant la nuit pour le servir lors d'un petit déjeuner tardif avec des œufs brouillés et du pain de campagne.

Important

Si vous préférez utiliser des haricots rouges secs, il faut les cuire dans de l'eau bouillante pendant 20 min avant de les déposer dans la mijoteuse. Cette étape neutralise une toxine pouvant causer des problèmes gastriques.

Cubes de bœuf à la bière

INGRÉDIENTS

- 4 c. à soupe de farine tout usage
- 2 c. à café de sel
- 1 ½ c. à café de poivre moulu
- 900 g (2 lb) de cubes de bœuf
- 2 c. à soupe d'huile végétale
- 3 oignons, coupés en quartiers
- 2 c. à soupe de beurre
- 2 c. à soupe de cassonade
- 500 ml (2 tasses) de bière blonde
- 2 c. à soupe de sauce Worcestershire
- 3 feuilles de laurier
- 6 gousses d'ail, hachées finement
- 18 pommes de terre grelots

Le plus de Claudette

Je remplace la cassonade par autant de sucre d'érable, un produit que j'affectionne tant.

Le plus d'Andrea

J'ajoute 1 piment fort haché en même temps que les pommes de terre pour apporter la chaleur qui réveille le goût de la bière.

PRÉPARATION

Dans un grand bol, mélanger la farine, le sel et le poivre. Ajouter les cubes de bœuf et bien enrober. Secouer pour retirer l'excédent de farine.

Dans un grand poêlon, faire chauffer l'huile. Ajouter les oignons. Faire revenir à feu moyen pendant 4 min. Transférer dans la cocotte de la mijoteuse.

Dans le même poêlon, faire fondre le beurre. Ajouter les cubes de bœuf. Faire revenir à feu moyen pendant environ 5 min pour les dorer de tous les côtés. Transférer dans la cocotte.

Dans le même poêlon, ajouter la cassonade et la bière. Porter à ébullition à feu moyen, en raclant bien le fond du poêlon. Ajouter la sauce Worcestershire, le laurier et l'ail. Verser dans la cocotte. Couvrir. Cuire à basse température pendant 8 h.

Ajouter rapidement les pommes de terre grelots. Cuire à haute température pendant 1 h.

Répartir la viande et les légumes dans des assiettes. Servir.

Mijoté de côtes de bœuf au pistou

INGRÉDIENTS

- 60 ml (¼ tasse) d'huile d'olive extra vierge
- 225 g (1 tasse) de pancetta, en dés
- 2 oignons, émincés
- 1 gros fenouil, haché
- 4 gousses d'ail entières
- 1,8 kg (4 lb) de bouts de côtes de bœuf
- 4 tomates, coupées en quartiers
- 1 L (4 tasses) de bouillon de bœuf
- Sel et poivre

Pistou
- 2 gousses d'ail, hachées finement
- 1 c. à café de sel
- 1 gros bouquet de basilic, effeuillé
- 2 tomates, hachées finement
- 60 ml (¼ tasse) d'huile d'olive extra vierge
- 110 g (1 tasse) de gouda râpé

PRÉPARATION

Dans un poêlon, faire chauffer 2 c. à soupe d'huile d'olive. Ajouter la pancetta, les oignons et le fenouil. Faire revenir à feu moyen pendant 7 min. À l'aide d'une écumoire, transférer dans la cocotte de la mijoteuse.

Dans le même poêlon, verser le reste de l'huile d'olive. Ajouter l'ail et les bouts de côtes de bœuf. Faire revenir à feu moyen pendant 5 min.

Transférer le contenu du poêlon dans la cocotte. Saler et poivrer. Ajouter les quartiers de tomate et verser le bouillon. Ajouter au besoin un peu plus de bouillon pour couvrir les aliments. Couvrir. Cuire à haute température pendant 4 h 30 ou à basse température pendant 8 h.

Préparer le pistou en mélangeant, dans un robot culinaire, l'ail et le sel pendant quelques secondes. Ajouter le basilic et mélanger par petits coups jusqu'à l'obtention d'une purée. Incorporer les tomates. Verser l'huile d'olive lentement, en remuant. Lorsque toute l'huile est utilisée, ajouter le fromage et mélanger rapidement. Verser le pistou dans la mijoteuse et mélanger.

Répartir la viande et les légumes dans des assiettes. Servir.

Le plus de Claudette

Je remplace la moitié du basilic par du persil pour un goût plus délicat.

Le plus d'Andrea

Essayez ce plat avec 1 pincée de piment d'Espelette à la fin de la cuisson !

Typiquement provençal, le pistou est une purée de basilic et d'huile d'olive. Son parfum capiteux sert à la fameuse soupe de légumes au pistou. Il est aussi souvent utilisé dans certaines recettes de viande ou de poisson.

Osso buco aux oignons et aux navets

PRÉPARATION : 20 MIN   CUISSON : 8 H 15   4 PORTIONS

INGRÉDIENTS

- 2 c. à soupe de farine tout usage
- 4 tranches de jarret de veau
- 3 c. à soupe d'huile d'olive extra vierge
- 1 oignon, émincé
- 2 navets, pelés et coupés en dés
- 4 tomates moyennes, coupées en dés
- 125 ml (½ tasse) de vin blanc sec
- 1 L (4 tasses) de bouillon de bœuf
- 250 ml (1 tasse) de coulis de tomate
- 1 c. à café de thym haché
- 2 c. à soupe de persil haché finement
- Sel et poivre

PRÉPARATION

Dans un bol, mélanger la farine, une pincée de sel et une autre de poivre. Passer les tranches de jarret de veau dans le mélange. Secouer pour retirer l'excédent de farine.

Dans un grand poêlon, faire chauffer l'huile d'olive. Ajouter les tranches de jarret farinées. Faire revenir à feu moyen pendant 3 min de chaque côté. Transférer dans la cocotte de la mijoteuse.

Dans le même poêlon, ajouter l'oignon et les navets. Faire revenir à feu moyen pendant 3 min. Ajouter les tomates. Faire revenir pendant 2 min. Verser le vin et le bouillon. Porter à ébullition.

Transférer le contenu du poêlon dans la cocotte. Ajouter le coulis de tomate et le thym. Saler légèrement. Couvrir. Cuire à basse température pendant 8 h.

Retirer la viande de la mijoteuse. Incorporer le persil dans la sauce. Verser sur la viande et servir.

Pain de viande au veau et aux champignons

INGRÉDIENTS

- 2 c. à soupe de beurre (pour le moule)
- 675 g (1 ½ lb) de veau haché
- 100 g (1 tasse) de chapelure fine
- 2 œufs
- 1 oignon, haché finement
- 1 c. à café de moutarde de Dijon
- 24 champignons, hachés
- 125 ml (½ tasse) de bouillon de champignons ou de bouillon de bœuf
- 1 c. à soupe de sauce Worcestershire
- Sel et poivre

Sauce

- 1 c. à soupe de cassonade
- 500 ml (2 tasses) de bouillon de bœuf
- 2 c. à soupe d'oignons déshydratés
- ½ c. à café de sauce Worcestershire

PRÉPARATION

Beurrer un moule à gâteau rectangulaire qui loge dans la cocotte de la mijoteuse.

Dans un grand bol, mélanger la viande hachée, la chapelure, les œufs, l'oignon, la moutarde, les champignons, le bouillon et la sauce Worcestershire. Saler et poivrer. Façonner un pain et déposer dans le moule beurré. Transférer dans la cocotte. Couvrir. Cuire à haute température pendant 3 h ou à basse température pendant 6 h.

Vingt minutes avant la fin de la cuisson, préparer la sauce en mélangeant tous les ingrédients dans une casserole. Porter à ébullition pendant 5 min, en fouettant. Baisser le feu et laisser mijoter pendant 10 min.

Servir le pain de viande nappé de sauce.

Ragoût de bœuf aux tomates séchées

PRÉPARATION : 20 MIN   MACÉRATION : 30 MIN   CUISSON : 7 H 10
4 PORTIONS

INGRÉDIENTS

- 24 tomates séchées
- 500 ml (2 tasses) de bouillon de bœuf tiède
- 1 c. à soupe d'huile d'olive extra vierge
- 1 gros oignon, haché
- 3 carottes, pelées et coupées en rondelles
- 900 g (2 lb) de bouts de côtes de bœuf
- 2 gousses d'ail, pelées et écrasées
- 500 ml (2 tasses) de coulis de tomate
- 250 ml (1 tasse) de ketchup
- 4 c. à soupe de cassonade
- 1 c. à soupe de sauce Worcestershire
- 125 ml (½ tasse) de vinaigre de cidre
- 750 g (4 tasses) de riz cuit
- Sel et poivre

PRÉPARATION

Dans un bol, faire tremper les tomates séchées dans le bouillon de bœuf tiède pendant 30 min.

Dans un grand poêlon, faire chauffer l'huile d'olive. Ajouter l'oignon et les carottes. Faire revenir à feu moyen pendant 2 min. Ajouter les bouts de côtes de bœuf. Faire revenir pendant 3 min de chaque côté. Saler et poivrer.

Dans la cocotte de la mijoteuse, mélanger l'ail, le coulis de tomate, le ketchup, la cassonade, la viande, la sauce Worcestershire et le vinaigre. Ajouter les tomates séchées et leur bouillon. Couvrir. Cuire à haute température pendant 7 h.

Répartir dans des bols et servir avec le riz.

Le plus de Claudette

Ce plat se mange avec les doigts tant on s'en régale. J'ajoute un filet de sauce soya à la fin de la cuisson pour le saler légèrement et ranimer les saveurs.

Tajine de veau aux abricots

PRÉPARATION : 25 MIN   CUISSON : 7 H   4 PORTIONS

INGRÉDIENTS

- 2 c. à soupe de farine tout usage
- 1 c. à soupe de harissa en poudre
- ½ c. à café de cannelle moulue
- 900 g (2 lb) de filet de veau, en cubes
- 2 poivrons rouges, coupés en quartiers
- 24 abricots secs
- 5 c. à soupe de raisins secs
- 4 tomates, coupées en dés
- 750 ml (3 tasses) de bouillon de bœuf
- 1 c. à soupe de cassonade
- 1 c. à café de gingembre moulu
- 2 c. à soupe d'huile d'olive extra vierge
- 1 gros oignon, haché très finement
- 110 g (1 tasse) de pistaches salées
- 2 c. à soupe de coriandre hachée
- 1 c. à soupe de persil haché
- 500 ml (2 tasses) de compote d'abricots
- 1 pincée de filaments de safran
- Sel et poivre

PRÉPARATION

Dans un bol, mélanger la farine, la harissa, la cannelle, une pincée de sel et une autre de poivre. Ajouter les cubes de veau et mélanger. Secouer pour retirer l'excédent de farine.

Dans la cocotte de la mijoteuse, déposer les poivrons, les abricots secs, les raisins secs, les tomates et le bouillon. Saupoudrer de cassonade et de gingembre. Saler et poivrer.

Dans un poêlon, faire chauffer l'huile d'olive. Ajouter l'oignon. Faire revenir à feu moyen pendant 3 min. Ajouter les cubes de veau. Faire revenir pendant environ 6 min pour les dorer de tous les côtés. Transférer dans la cocotte et mélanger. Couvrir. Cuire à basse température pendant 6 h.

Ajouter rapidement les pistaches, la coriandre et le persil dans la cocotte. Incorporer la compote d'abricots et le safran. Couvrir. Cuire à haute température pendant 45 min.

Répartir la viande et les légumes dans des assiettes. Servir.

Un plat savoureux qui nous fait voyager dans des contrées colorées et chaudes. Ce tajine se sert avec une salade fraîche ou de la semoule.

Chop suey de porc aux châtaignes d'eau

PRÉPARATION : 15 MIN   CUISSON : 3 H 45   4 PORTIONS

INGRÉDIENTS

- 2 c. à soupe d'huile végétale
- 1 oignon, haché finement
- 1 gousse d'ail, hachée finement
- 1 morceau de gingembre frais de 2 cm (1 po), pelé et haché
- 675 g (1 ½ lb) de filet de porc, en dés
- 100 g (1 tasse) de pois mange-tout, coupés en tronçons
- 1 petit tat choy ou bok choy, haché
- 8 châtaignes d'eau en conserve, égouttées et hachées
- 1 L (4 tasses) de bouillon de bœuf
- 125 ml (½ tasse) de jus de pomme
- 2 c. à café de sauce soya légère
- 1 c. à soupe de sauce aux huîtres
- 2 c. à café de fécule de maïs
- 200 g (2 tasses) de fèves germées
- 1 c. à café d'huile de sésame

PRÉPARATION

Dans un poêlon ou un wok, faire chauffer l'huile. Ajouter l'oignon, l'ail et le gingembre. Faire revenir à feu vif pendant 1 min. Ajouter les dés de porc. Faire revenir à feu moyen pendant 1 min.

Transférer le contenu du poêlon dans la cocotte de la mijoteuse. Ajouter les pois mange-tout, le tat choy, les châtaignes d'eau, le bouillon, le jus de pomme et la sauce soya. Couvrir. Cuire à haute température pendant 3 h.

Dans un petit bol, mélanger la sauce aux huîtres et la fécule de maïs. Incorporer à la préparation dans la mijoteuse. Ajouter les fèves germées et l'huile de sésame. Mélanger. Poursuivre la cuisson pendant 40 min.

Répartir le chop suey dans des assiettes et servir.

Côtes de porc aux raisins secs

PRÉPARATION : 20 MIN   MACÉRATION : 30 MIN   CUISSON : 6 H 10

4 PORTIONS

INGRÉDIENTS

- 500 ml (2 tasses) de jus de raisin
- 1 c. à soupe de moutarde en poudre
- 4 côtes de porc épaisses
- 2 c. à soupe d'huile végétale
- 3 carottes, pelées et coupées en rondelles
- 1 gros oignon rouge, pelé et émincé
- 12 gousses d'ail entières, pelées
- 110 g (¾ tasse) de raisins secs
- 500 ml (2 tasses) de bouillon de bœuf
- 250 ml (1 tasse) de sauce demi-glace
- 450 g (5 tasses) de choux de Bruxelles
- Sel et poivre

PRÉPARATION

Dans un plat profond, mélanger le jus de raisin et la moutarde. Ajouter les côtes de porc. Couvrir et laisser macérer pendant 30 min.

Égoutter les côtes sur du papier absorbant. Réserver la marinade.

Dans un poêlon, faire chauffer l'huile. Ajouter les côtes de porc. Faire revenir à feu vif pendant 2 min de chaque côté. Saler et poivrer. Ajouter la marinade réservée et porter à ébullition.

Dans la cocotte de la mijoteuse, déposer les carottes, l'oignon et l'ail. Ajouter les raisins secs, le bouillon et la sauce demi-glace. Déposer les côtes de porc et verser le liquide de cuisson dans la cocotte. Couvrir. Cuire à basse température pendant 5 h.

Ajouter rapidement les choux de Bruxelles. Poursuivre la cuisson à haute température pendant 1 h.

Répartir la viande et les légumes dans des assiettes. Servir.

Émincé de porc au cari rouge

PRÉPARATION : 20 MIN   CUISSON : 5 H 50 MIN   6 PORTIONS

INGRÉDIENTS

- 250 ml (1 tasse) de bouillon de poulet
- 2 c. à soupe de jus de lime
- 2 c. à soupe de cassonade
- 1 c. à soupe de nuoc-mâm (sauce de poisson)
- 500 ml (2 tasses) de lait de coco
- 2 c. à soupe d'huile végétale
- 675 g (1 ½ lb) de filet de porc, en lanières
- 1 oignon, émincé
- 2 poivrons rouges, émincés
- 1 gousse d'ail, hachée
- 1 c. à café de gingembre moulu
- 2 c. à soupe de pâte de cari rouge
- 2 tomates, coupées en dés
- 1 lime, coupée en quartiers
- 2 c. à soupe de basilic haché finement
- Nouilles de riz cuites

PRÉPARATION

Dans un bol, mélanger le bouillon, le jus de lime, la cassonade, le nuoc-mâm et le lait de coco.

Dans un grand poêlon, faire chauffer l'huile. Ajouter les lanières de porc. Faire revenir à feu moyen pendant 2 min. Ajouter l'oignon, les poivrons, l'ail, le gingembre moulu et la pâte de cari. Cuire pendant 3 min, en remuant à la cuillère de bois.

Transférer le contenu du poêlon dans la cocotte de la mijoteuse. Ajouter le mélange de bouillon, les tomates et la lime. Cuire à haute température pendant 5 h.

Ajouter rapidement le basilic haché. Poursuivre la cuisson pendant 45 min.

Répartir la viande et les légumes dans des assiettes. Servir avec les nouilles de riz.

Fèves au lard épicées

PRÉPARATION : 25 MIN   MACÉRATION : 8 H   CUISSON : 8 H 10
8 PORTIONS

INGRÉDIENTS

- 450 g (2 ½ tasses) de haricots blancs secs
- 225 g (1 tasse) de lardons
- 2 gros oignons, pelés et hachés finement
- 750 ml (3 tasses) de bouillon de poulet
- 3 c. à soupe de cassonade
- 1 feuille de laurier
- 1 c. à café de moutarde en poudre
- 4 branches de thym
- 2 c. à café d'épices mesquite
- 60 ml (¼ tasse) de ketchup
- 125 ml (½ tasse) de sirop d'érable
- 1 piment jalapeño, en tranches fines
- Sel et poivre

Le plus de Claudette

Je ne sers pas ce plat avec le piment. J'incorpore 60 ml (1/4 tasse) de sirop d'érable froid supplémentaire.

Variante

Les épices mesquite sont un mélange de piments grillés au bois de noyer, de paprika, d'ail, d'oignon et d'origan. Elles peuvent être remplacées par la même quantité d'épices à steak moulues.

PRÉPARATION

Dans un grand bol, faire tremper les haricots secs dans une casserole d'eau froide pendant 8 h.

Égoutter les haricots. Rincer sous l'eau froide et égoutter à nouveau.

Dans un poêlon, faire sauter les lardons à feu moyen pendant 3 min. Ajouter les oignons. Cuire pendant 4 min ou jusqu'à ce qu'ils soient dorés. Verser 125 ml (½ tasse) de bouillon. Porter à ébullition, en grattant le fond du poêlon à la cuillère de bois pour déloger les sucs de cuisson.

Transférer la moitié du mélange du poêlon dans la cocotte de la mijoteuse. Ajouter les haricots égouttés et les lardons. Verser le reste du bouillon. Mélanger. Ajouter la cassonade, le laurier, la moutarde, le thym, les épices mesquite, le ketchup et le sirop d'érable. Mélanger. Saler et poivrer. Déposer le reste des oignons-lardons sur les légumes sans mélanger. Couvrir. Cuire à basse température pendant 8 h.

À l'aide d'une écumoire, retirer le laurier. Transférer les fèves au lard épicées dans des assiettes et servir avec les tranches de piment.

Conseils

Vérifiez la cuisson des haricots après environ 5 h et ensuite aux 30 minutes. Certains haricots peuvent cuire plus rapidement.

Il n'est pas recommandé de saler les haricots avant de les faire cuire. Cependant, une petite quantité les empêche d'éclater durant la cuisson.

Mijoté de porc au paprika

PRÉPARATION : 20 MIN   CUISSON : 7 H 10   6 PORTIONS

INGRÉDIENTS

- 1 petit chou, émincé
- 2 c. à soupe de farine tout usage
- 2 c. à soupe de paprika
- 900 g (2 lb) de filet de porc, en cubes
- 3 c. à soupe d'huile végétale
- 3 gros oignons, émincés
- 2 gousses d'ail, hachées finement
- 500 ml (2 tasses) de bouillon de bœuf
- 500 ml (2 tasses) de jus de pomme
- 1 feuille de laurier
- 1 branche de thym
- 3 c. à soupe de crème sure
- Sel et poivre

Conseil

Le paprika est soit doux, soit épicé. Utilisez un mélange moitié doux, moitié épicé. Il existe aussi du paprika fumé, qui ajoute une saveur riche, mais il faut l'utiliser avec parcimonie. Ici, un tiers fumé et deux tiers épicés serait un excellent dosage.

PRÉPARATION

Déposer le chou dans le fond de la cocotte de la mijoteuse. Saler et poivrer.

Dans un bol, mélanger la farine, 1 c. à soupe de paprika, une bonne pincée de sel et une autre de poivre. Rouler les cubes de porc dans ce mélange. Secouer pour retirer l'excédent de farine.

Dans un poêlon, faire chauffer 2 c. à soupe d'huile. Ajouter les oignons et l'ail. Faire revenir à feu moyen pendant 5 min. Transférer dans la cocotte en couvrant le chou.

Dans le même poêlon, faire chauffer le reste de l'huile. Ajouter les cubes de porc. Faire revenir à feu moyen pendant environ 6 min pour les dorer de tous les côtés. Transférer les cubes dans la cocotte et saupoudrer du reste de paprika. Verser le bouillon et le jus de pomme. Ajouter le laurier et le thym. Couvrir. Cuire à basse température pendant 7 h.

Répartir le mijoté dans des assiettes. Servir avec de la crème sure.

Ragoût de porc à la cantonaise

PRÉPARATION : 20 MIN   CUISSON : 7 H 40   6 PORTIONS

INGRÉDIENTS

- 2 c. à soupe d'huile végétale
- 900 g (2 lb) de cubes de porc
- 1 oignon, haché finement
- 2 poivrons rouges, coupés en quartiers
- 3 tranches d'ananas, coupées en dés
- 1 c. à soupe de cinq épices chinois
- 1 c. à soupe de cassonade
- 250 ml (1 tasse) de jus d'ananas
- 250 ml (1 tasse) de bouillon de poulet
- 2 c. à café de sauce soya légère
- 1 bouquet d'épinards
- Sel et poivre

PRÉPARATION

Dans un poêlon, faire chauffer l'huile. Ajouter les cubes de porc. Faire revenir à feu moyen pendant environ 6 min pour les dorer de tous les côtés.

Transférer le contenu du poêlon dans la cocotte de la mijoteuse. Ajouter l'oignon, les poivrons, les dés d'ananas, le cinq épices chinois, la cassonade, le jus d'ananas, le bouillon et la sauce soya. Mélanger. Couvrir. Cuire à basse température pendant 7 h.

Ajouter rapidement les épinards. Saler et poivrer. Cuire à haute température pendant 30 min.

Répartir le ragoût dans des assiettes et servir.

> *Variante*
> Si vous ne trouvez pas de cinq épices chinois, remplacez-le par du piment de la Jamaïque.

Saucisses à la sauce provençale

INGRÉDIENTS

- 3 c. à soupe d'huile d'olive extra vierge
- 1 gros oignon, pelé et coupé en dés
- 1 carotte, pelée et coupée en dés
- 2 branches de céleri, hachées finement
- 3 gousses d'ail, hachées finement
- 450 g (1 lb) de bœuf haché
- 225 g (½ lb) de veau haché
- 250 ml (1 tasse) de vin rouge sec
- 1 c. à café de thym séché
- 1 c. à café d'origan séché
- 1 c. à café de sel
- 1 c. à café de poivre moulu
- ½ c. à café de flocons de piment séché
- 2 feuilles de laurier
- 500 ml (2 tasses) de dés de tomate en conserve, avec leur jus
- 250 ml (1 tasse) de coulis de tomate
- 6 saucisses de veau ou de porc
- 3 c. à soupe de parmesan râpé

PRÉPARATION

Dans un poêlon, faire chauffer l'huile d'olive. Ajouter l'oignon, la carotte et le céleri. Faire revenir à feu moyen pendant 4 min. Ajouter l'ail et les viandes hachées. Faire revenir pendant environ 8 min ou jusqu'à ce que la viande soit cuite. Verser le vin et porter à ébullition.

Transférer le contenu du poêlon dans la cocotte de la mijoteuse. Ajouter le thym séché, l'origan séché, le sel, le poivre, les flocons de piment, le laurier, les dés de tomate et le coulis de tomate. Mélanger.

Dans le même poêlon, faire revenir les saucisses à feu moyen pendant environ 6 min pour les dorer de tous les côtés. Transférer les saucisses dans la cocotte. Couvrir. Cuire à haute température pendant 4 h ou à basse température pendant 7 h.

Transférer les saucisses cuites sur des assiettes.

À l'aide d'une écumoire, retirer le laurier. Mélanger la sauce. Saupoudrer de parmesan et mélanger à nouveau. Servir les saucisses avec la sauce.

Le plus de Claudette
Ce plat se déguste avec des pâtes. Je remplace les oignons par 1 c. à soupe de poudre d'oignon.

Important
Choisissez le meilleur parmesan. Il apporte de l'onctuosité à la sauce et ce goût particulier qui fait chanter l'assiette.

Le plus d'Andrea
De temps en temps, j'ajoute 2 c. à soupe de champignons séchés hachés en début de cuisson.

Travers de porc à la sauce barbecue

PRÉPARATION : 15 MIN   CUISSON : 6 H 10 OU 10 H 10   4 PORTIONS

INGRÉDIENTS

- 900 g (2 lb) de travers de porc, séparés
- 1 oignon, haché
- 2 poivrons rouges, coupés en quartiers
- 1 gousse d'ail, pelée et hachée finement
- 1 c. à café de thym séché
- 1 piment chipotle, haché finement
- 500 ml (2 tasses) de bouillon de bœuf
- 3 c. à soupe de pâte de tomate
- 3 c. à soupe de cassonade
- 24 champignons moyens, coupés en moitié
- 2 c. à soupe de coriandre hachée
- 1 c. à soupe de persil haché
- Sel et poivre

Note

Les piments chipotle sont des piments jalapeño rouges, fumés et séchés. Un seul suffit pour donner un goût fumé et du piquant à toutes les sauces. Ils sont disponibles dans les épiceries ou dans les marchés sud-américains.

PRÉPARATION

Préchauffer le four à 200 °C (400 °F). Couvrir une plaque à cuisson de papier sulfurisé.

Déposer les travers de porc sur la plaque. Cuire au four pendant 30 min, en les retournant une fois.

Retirer la plaque du four. Transférer les côtes levées dans la cocotte de la mijoteuse. Saler et poivrer. Ajouter l'oignon, les poivrons, l'ail, le thym séché et le piment.

Dans un bol, mélanger au fouet le bouillon, la pâte de tomate et la cassonade. Verser sur les côtes levées. Couvrir. Cuire à haute température pendant 5 h ou à basse température pendant 9 h.

Ajouter rapidement les champignons, la coriandre et le persil. Poursuivre la cuisson à haute température pendant 40 min.

Répartir les côtes levées et les légumes dans des assiettes. Servir.

Volaille

La cuisson à la mijoteuse attendrit la chair de la volaille et la transforme en plats délicieux pour le plus grand plaisir des papilles.

Ailes de poulet au wasabi

PRÉPARATION : 20 MIN   RÉFRIGÉRATION : 1 H   CUISSON : 2 H 45 OU 3 H 45

4 PORTIONS

INGRÉDIENTS

- 2 c. à soupe de sucre
- 2 c. à soupe de gingembre moulu
- 1 c. à café de wasabi en poudre
- 6 gousses d'ail, écrasées et hachées finement
- 1 ½ c. à café de sel
- 1,8 kg (4 lb) d'ailes de poulet
- 750 ml (3 tasses) de bouillon de poulet
- 450 g (3 tasses) de pois sucrés
- 4 oignons verts, hachés
- 60 ml (¼ tasse) de thé vert
- 2 c. à soupe de pâte de wasabi
- 1 c. à soupe de fécule de maïs
- 2 c. à soupe de sauce soya légère

PRÉPARATION

Dans un bol, mélanger le sucre, le gingembre moulu, le wasabi en poudre, l'ail et le sel. Frotter les ailes de poulet de ce mélange. Remettre les ailes dans le bol. Couvrir et réfrigérer pendant 1 h.

Retirer le bol du réfrigérateur. Déposer les ailes de poulet dans la cocotte de la mijoteuse. Verser le bouillon. Couvrir. Cuire à haute température pendant 2 h ou à basse température pendant 3 h.

Ajouter rapidement les pois sucrés. Couvrir. Cuire à haute température pendant 45 min.

Transférer les ailes de poulet et les pois dans un plat. Garnir d'oignons verts.

Dans un robot culinaire, mélanger le thé vert, 250 ml (1 tasse) du bouillon de cuisson, la pâte de wasabi, la fécule de maïs et la sauce soya. Verser dans la cocotte et mélanger. Répartir dans des petits bols et servir avec les ailes.

Le plus de Claudette

Pour donner du croquant au plat, je saupoudre le plat de chapelure panko juste avant de le servir.

Conseil

Les pois sucrés peuvent être remplacés par la même quantité de pois mange-tout ou 12 mini courgettes entières.

Le plus d'Andrea

Lorsque j'en ai, j'ajoute 60 ml (¼ tasse) de saké à la sauce, ce qui lui donne une saveur à la fois intense et douce.

Cuisses de poulet à l'aigre-doux

PRÉPARATION : 20 MIN   CUISSON : 3 H 15 OU 6 H 15   4 PORTIONS

INGRÉDIENTS

- 4 cuisses de poulet
- 2 c. à soupe de beurre
- 3 gousses d'ail, hachées finement
- 60 ml (¼ tasse) de vin rouge sec
- 3 c. à soupe de miel
- 2 c. à soupe de cassonade
- 1 oignon, émincé
- 2 poireaux, coupés en bâtonnets horizontalement
- 3 grosses carottes, coupées en fines lanières
- 2 c. à café de thym séché
- 250 ml (1 tasse) de bouillon de poulet
- 500 ml (2 tasses) de bouillon de bœuf
- 2 c. à soupe de vinaigre de vin blanc
- Sel et poivre

PRÉPARATION

Saler et poivrer les cuisses de poulet. Dans un grand poêlon, faire fondre le beurre. Ajouter les cuisses. Les dorer à feu moyen pendant 3 min de chaque côté. Transférer dans la cocotte de la mijoteuse.

Dans le même poêlon, ajouter l'ail. Faire revenir à feu moyen pendant 2 min. Verser le vin. Porter à ébullition en remuant. Ajouter le miel et la cassonade. Cuire pendant 2 min, en remuant.

Transférer le contenu du poêlon dans la cocotte. Ajouter l'oignon, les poireaux, les carottes et le thym séché. Verser le bouillon de poulet, le bouillon de bœuf et le vinaigre. Couvrir. Cuire à haute température pendant 3 h ou à basse température pendant 6 h.

Répartir dans des assiettes. Servir avec du riz ou des pâtes.

Poitrines de poulet au citron

INGRÉDIENTS

- 4 poitrines de poulet sans peau
- 2 c. à soupe de farine tout usage
- 3 c. à soupe d'huile végétale
- 6 poireaux, coupés en rondelles
- 1 gousse d'ail, pelée et coupée en moitié
- 2 branches de romarin
- 1 branche de thym
- 1 c. à soupe de zeste de citron râpé finement
- 2 citrons, coupés en quartiers
- 2 c. à soupe de jus de citron
- 500 ml (2 tasses) de bouillon de poulet
- 1 c. à soupe de fécule de maïs
- Sel et poivre

Le plus de Claudette

Je rehausse ce plat en y ajoutant des carottes pelées et coupées en dés que je dépose au fond de la cocotte avant d'y mettre le reste des ingrédients.

PRÉPARATION

Passer les poitrines de poulet dans la farine. Secouer pour retirer l'excédent de farine. Saler et poivrer.

Dans un poêlon, faire chauffer l'huile. Ajouter les poireaux. Faire revenir à feu moyen pendant 4 min. Ajouter les poitrines de poulet. Faire revenir pendant 2 min de chaque côté.

Transférer le contenu du poêlon dans la cocotte de la mijoteuse. Saler et poivrer. Ajouter l'ail, le romarin, le thym, le zeste et les quartiers de citron. Verser le jus de citron et le bouillon. Ajouter un peu de bouillon si les morceaux de poulet ne sont pas recouverts de liquide. Couvrir. Cuire à haute température pendant 3 h ou à basse température pendant 5 h.

Dans un bol, mélanger la fécule de maïs dans 250 ml (1 tasse) du bouillon de cuisson. Verser dans la cocotte et mélanger. Laisser reposer pendant 5 min.

Répartir dans des bols et servir avec des pâtes.

Le plus d'Andrea

Je remplace à l'occasion le romarin par 2 branches de sarriette et j'ajoute aussi 8 grains de poivre avec le bouillon pour apporter du piquant à la préparation.

Poulet au beurre

PRÉPARATION : 30 MIN — RÉFRIGÉRATION : 3 H — CUISSON : 3 H 30 OU 6 H 30

4 PORTIONS

INGRÉDIENTS

- 250 ml (1 tasse) de yogourt nature
- 2 c. à soupe de jus de citron
- 2 c. à soupe de curcuma
- ½ c. à café de sel
- 1 c. à café de garam masala
- 1 c. à café de poudre de chili
- 2 c. à soupe de cumin
- 8 hauts de cuisses de poulet
- 60 ml (¼ tasse) d'huile végétale
- 2 gros oignons, pelés et hachés
- 3 gousses d'ail, pelées et hachées finement
- 2 c. à soupe de gingembre râpé finement
- 1 bâton de cannelle
- 250 ml (1 tasse) de coulis de tomate
- 375 ml (1 ½ tasse) de bouillon de poulet
- 1 piment fort, haché
- 1 c. à soupe de beurre non salé
- 250 ml (1 tasse) de crème à fouetter 35 %
- 3 c. à soupe d'amandes effilées
- Quelques feuilles de coriandre

PRÉPARATION

Dans un grand bol, mélanger le yogourt, le jus de citron, le curcuma, le sel, le garam masala, la poudre de chili et le cumin. Ajouter les hauts de cuisses de poulet et mélanger. Couvrir. Réfrigérer pendant au moins 3 h.

Dans un poêlon, faire chauffer l'huile. Ajouter les oignons. Faire revenir à feu moyen pendant 5 min. Ajouter l'ail et le gingembre. Poursuivre la cuisson pendant environ 5 min ou jusqu'à ce que les oignons commencent à dorer.

Transférer le contenu du poêlon dans la cocotte de la mijoteuse. Ajouter le bâton de cannelle, le coulis de tomate, le bouillon et le piment fort. Ajouter le poulet et sa marinade. Couvrir. Cuire à haute température pendant 3 h ou à basse température pendant 6 h.

Ajouter rapidement le beurre et la crème. Mélanger. Poursuivre la cuisson à haute température pendant 20 min.

Répartir dans des bols. Garnir d'amandes et de feuilles de coriandre. Servir avec du riz.

Le plus d'Andrea

Essayez une formule moins traditionnelle en remplaçant la moitié du coulis de tomate par du jus d'orange.

Le plus de Claudette

Pour apporter de la fraîcheur, j'ajoute 1 c. à soupe de yogourt nature dans les assiettes au moment de servir.

Tajine de poulet aux fruits secs

INGRÉDIENTS

- 2 c. à soupe de farine tout usage
- ½ c. à café de cannelle moulue
- ½ c. à café de paprika
- 8 hauts de cuisses de poulet
- 4 poireaux, émincés
- 1 navet, pelé et coupé en cubes
- 4 carottes, pelées et coupées en rondelles
- 1 c. à soupe de cassonade
- 1 c. à café de gingembre moulu
- 6 c. à soupe de raisins secs
- 750 ml (3 tasses) de bouillon de poulet
- 250 ml (1 tasse) de jus de tomate
- 3 courgettes moyennes, coupées en rondelles
- 1 c. à soupe de harissa
- 1 c. à soupe de ras-el-hanout (épices à couscous)
- 1 citron vert, coupé en tranches
- Sel et poivre

PRÉPARATION

Dans un bol, mélanger la farine, la cannelle, le paprika, une pincée de sel et une autre de poivre. Ajouter les hauts de cuisses de poulet et mélanger. Secouer pour retirer l'excédent de farine.

Dans la cocotte de la mijoteuse, placer les poireaux, le navet et les carottes. Saupoudrer de cassonade et de gingembre moulu. Saler et poivrer. Ajouter les raisins secs et les hauts de cuisses. Verser le bouillon et le jus de tomate. Couvrir. Cuire à haute température pendant 4 h ou à basse température pendant 6 h.

Ajouter rapidement les courgettes, la harissa et le ras-el-hanout. Couvrir. Poursuivre la cuisson à haute température pendant 45 min.

Répartir dans des assiettes creuses. Servir avec les tranches de citron vert.

Boulettes de dinde à la sauce chili

PRÉPARATION : 40 MIN   RÉFRIGÉRATION : 45 MIN   CUISSON : 7 H 35

6 PORTIONS

INGRÉDIENTS

- 60 ml (¼ tasse) d'huile végétale
- 1 gros oignon, coupé en dés
- 2 poivrons verts, coupés en cubes
- 2 carottes moyennes, coupées en dés
- 500 ml (2 tasses) de dés de tomate en conserve, avec le jus
- 500 ml (2 tasses) de coulis de tomate
- 500 ml (2 tasses) de haricots rouges en conserve, égouttés
- 1 c. à soupe de cumin moulu
- 1 c. à soupe d'origan séché
- 2 c. à café de poudre de chili
- 1 c. à café de moutarde en poudre
- 3 c. à soupe de farine fine de maïs
- 12 tomates cerises
- Sel et poivre

Boulettes

- 900 g (2 lb) de dinde hachée
- 2 œufs, battus
- 100 g (1 tasse) de chapelure fine
- 1 c. à soupe de poudre d'oignon
- 2 gousses d'ail, hachées finement
- 2 c. à café de poudre de chili
- 1 c. à café d'origan séché
- 1 c. à café de sel

PRÉPARATION

Préparer les boulettes en mélangeant intimement tous les ingrédients dans un bol. Façonner des petites boulettes. Couvrir et réfrigérer pendant 45 min.

Dans un grand poêlon, faire chauffer 2 c. à soupe d'huile. Ajouter l'oignon, les poivrons et les carottes. Faire revenir à feu moyen pendant 4 min.

Transférer le contenu du poêlon dans la cocotte de la mijoteuse. Ajouter les tomates et leur jus, le coulis de tomate, les haricots rouges, le cumin, l'origan séché, la poudre de chili et la moutarde en poudre. Saler et poivrer. Mélanger.

Retirer les boulettes du réfrigérateur. Rouler dans la farine de maïs. Secouer pour retirer l'excédant de farine.

Dans le même poêlon, verser le reste de l'huile. Ajouter les boulettes. Faire revenir à feu moyen pendant environ 5 min pour les dorer de tous les côtés. Transférer dans la cocotte. Couvrir. Cuire à haute température pendant 4 h ou à basse température pendant 7 h.

Ajouter rapidement les tomates cerises. Poursuivre la cuisson à haute température pendant 30 min.

Répartir dans des assiettes et servir.

> ### Le plus de Claudette
> J'ajoute 500 ml (2 tasses) de maïs en crème en même temps que les tomates cerises pour obtenir une saveur légèrement sucrée.

Cailles à la méditerranéenne

INGRÉDIENTS

- 2 oignons, hachés finement
- 1 poivron rouge, haché finement
- 1 branche de céleri, hachée finement
- 1 carotte, pelée et hachée finement
- 2 feuilles de sauge
- 125 g (1 tasse) de farine tout usage
- 8 cailles, en moitié
- 125 ml (½ tasse) d'huile d'olive extra vierge
- 500 ml (2 tasses) de bouillon de poulet
- 125 ml (½ tasse) de vin blanc sec
- 500 ml (2 tasses) de crème de poulet en conserve
- 2 feuilles de laurier
- 2 tomates moyennes, coupées en dés
- 1 gousse d'ail, hachée finement
- Sel et poivre

PRÉPARATION

Dans la cocotte de la mijoteuse, placer les oignons, le poivron, le céleri et la carotte. Saler et poivrer. Mélanger. Ajouter la sauge.

Dans un bol, mélanger la farine avec une bonne pincée de sel et une autre de poivre. Passer les moitiés de caille dans le mélange. Secouer pour retirer l'excédent de farine.

Dans un poêlon, faire chauffer l'huile d'olive. Ajouter les cailles. Faire revenir à feu vif pendant 2 min de chaque côté. Transférer dans la cocotte.

Dans le poêlon, ajouter le bouillon et le vin blanc. Porter à ébullition. Verser dans un bol. Incorporer la crème de poulet. Verser dans la cocotte. Ajouter le laurier. Couvrir. Cuire à haute température pendant 4 h ou à basse température pendant 6 h.

À l'aide d'une écumoire, retirer le laurier. Ajouter rapidement les dés de tomate et l'ail. Poursuivre la cuisson à haute température pendant 30 min.

Répartir dans des assiettes et servir.

Le plus de Claudette
Lorsque je reçois des amis gourmets, je sers ces petites cailles avec du riz sauvage pour contraster les saveurs.

Le plus d'Andrea
Juste avant de servir, j'arrose chaque assiette d'un trait d'huile d'olive extra vierge.

Les tomates et l'ail en fin de cuisson apportent une note franche à ce plat.

Poulet de Cornouailles au lait de coco

PRÉPARATION : 20 MIN — CUISSON : 3 H 40 OU 5 H 10 — 4 PORTIONS

INGRÉDIENTS

- 2 tomates, coupées en dés
- 1 poivron vert, coupé en dés
- 1 piment fort, haché finement
- 4 oignons verts, hachés
- 1 tige de citronnelle, hachée
- 1 c. à soupe de gingembre haché
- 2 gousses d'ail, émincées
- 1 c. à soupe de graines de coriandre
- 2 c. à soupe d'huile végétale
- 2 poulets de Cornouailles, en moitié
- 500 ml (2 tasses) de bouillon de poulet
- 500 ml (2 tasses) de lait de coco
- 60 ml (¼ tasse) de jus de lime
- Sel et poivre

PRÉPARATION

Dans la cocotte de la mijoteuse, mélanger les tomates, le poivron, le piment fort et les oignons verts. Saler et poivrer.

Dans un robot culinaire, mélanger la tige de citronnelle, le gingembre, l'ail et les graines de coriandre. Ajouter dans la cocotte.

Dans un poêlon, faire chauffer l'huile. Ajouter les poulets de Cornouailles. Faire revenir à feu moyen pendant 4 min de chaque côté. Saler et poivrer.

Transférer les poulets de Cornouailles dans la cocotte. Verser le bouillon et le lait de coco. Couvrir. Cuire à haute température pendant 3 h 30 ou à basse température pendant 5 h.

Arroser de jus de lime. Répartir dans des assiettes et servir.

Cari vert de canard à la noix de coco

PRÉPARATION : 20 MIN   CUISSON : 5 H 50   4 PORTIONS

INGRÉDIENTS

- 3 c. à soupe d'huile végétale
- 1 oignon, émincé
- 2 gros poivrons verts, coupés en bâtonnets
- 1 c. à café de gingembre moulu
- 4 c. à soupe de pâte de cari vert
- 500 ml (2 tasses) de lait de coco
- 500 ml (2 tasses) de bouillon de poulet
- 3 poitrines de canard sans peau, en cubes
- 8 oignons verts entiers
- 2 branches de céleri, coupées en bâtonnets
- 3 feuilles de lime kaffir
- 1 c. à soupe de graines de coriandre
- 2 petits piments forts entiers
- 60 ml (¼ tasse) de jus de lime
- 95 g (1 tasse) de noix de coco râpée et rôtie
- Quelques feuilles de menthe
- Sel et poivre

PRÉPARATION

Dans un grand poêlon, faire chauffer l'huile. Ajouter l'oignon et les poivrons. Faire revenir à feu moyen pendant 4 min. Ajouter le gingembre moulu et la pâte de cari. Cuire pendant 2 min, en remuant à la cuillère de bois. Verser le lait de coco et le bouillon. Ajouter les cubes de canard. Saler et poivrer. Porter à ébullition à feu vif.

Retirer le poêlon du feu. Verser son contenu dans la cocotte de la mijoteuse. Ajouter les oignons verts, le céleri et les feuilles de lime kaffir. Couvrir. Cuire à basse température pendant 5 h.

Dans un moulin à café, broyer les graines de coriandre et les piments forts. Ajouter rapidement dans la cocotte. Couvrir. Poursuivre la cuisson à haute température pendant 40 min.

Répartir dans des assiettes. Arroser de jus de lime. Garnir de noix de coco râpée et de feuilles de menthe. Servir avec des nouilles de riz.

Le plus de Claudette

Lorsque je ne trouve pas de feuilles de lime kaffir, je les remplace par 2 feuilles de laurier et 1 citron vert coupé en moitié.

Cubes de dinde façon asiatique

PRÉPARATION : 20 MIN   CUISSON : 5 H 45   4 PORTIONS

INGRÉDIENTS

- 1 poitrine de dinde sans peau, en cubes
- 2 c. à soupe de farine tout usage
- 60 ml (¼ tasse) d'huile végétale
- 2 oignons rouges, coupés en dés
- 2 gousses d'ail, hachées finement
- 2 poivrons rouges, coupés en cubes
- 1 poivron jaune, coupé en cubes
- 1 c. à soupe d'ail séché en poudre
- ½ c. à café de gingembre moulu
- 750 ml (3 tasses) de bouillon de poulet
- 1 c. à soupe de fécule de maïs
- 60 ml (¼ tasse) de nuoc-mâm (sauce de poisson)
- 2 c. à soupe de graines de sésame noires
- 1 bouquet d'épinards, effeuillé
- Sel et poivre

PRÉPARATION

Passer les cubes de dinde dans la farine.

Dans un grand poêlon, faire chauffer 2 c. à soupe d'huile. Ajouter les oignons et l'ail. Faire revenir à feu moyen pendant 4 min. Ajouter les poivrons. Faire revenir pendant 3 min. À l'aide d'une écumoire, transférer dans la cocotte de la mijoteuse. Saler et poivrer.

Dans le même poêlon, faire chauffer le reste de l'huile et faire revenir les cubes de dinde à feu moyen pendant 4 min. Saler et poivrer. Transférer dans la cocotte. Ajouter l'ail séché en poudre et le gingembre moulu. Verser le bouillon. Couvrir. Cuire à basse température pendant 5 h.

Dans un petit bol, mélanger la fécule dans le nuoc-mâm. Verser dans la mijoteuse et mélanger. Cuire à haute température pendant 30 min.

Saupoudrer les cubes de graines de sésame puis répartir dans des assiettes. Garnir de feuilles d'épinards. Servir avec des nouilles.

Le plus de Claudette

J'incorpore 125 ml (¼ tasse) de crème légère chauffée à la fin de la cuisson.

Variante

Pour ceux qui ne consomment pas de gluten ou qui ont une intolérance à cette protéine, remplacez la farine de blé par de la farine de maïs ou de riz.

Cuisses de canard aux haricots

PRÉPARATION : 20 MIN   CUISSON : 6 H 25   6 PORTIONS

INGRÉDIENTS

- 4 c. à soupe de gras de canard
- 2 oignons, hachés
- 6 cuisses de canard
- 500 ml (2 tasses) de cidre
- 60 ml (¼ tasse) de miel
- 1,5 L (6 tasses) de bouillon de bœuf
- 1 c. à café de muscade moulue
- 1 c. à soupe d'herbes de Provence
- 4 pommes, coupées en quartiers
- 450 g (3 tasses) de haricots verts et jaunes
- Sel et poivre

PRÉPARATION

Dans un grand poêlon, faire fondre le gras de canard. Ajouter les oignons. Faire revenir à feu doux pendant 10 min. À l'aide d'une écumoire, retirer les oignons et les jeter.

Dans le même poêlon, faire revenir les cuisses de canard à feu moyen pendant 8 min. Transférer dans la cocotte de la mijoteuse. Saler et poivrer.

Déglacer le poêlon avec le cidre et le miel. Porter à ébullition. Verser dans la cocotte. Ajouter le bouillon, la muscade et les herbes de Provence. Couvrir. Cuire à basse température pendant 5 h.

Ajouter rapidement les quartiers de pomme. Recouvrir de haricots. Couvrir. Poursuivre la cuisson à haute température pendant 1 h.

Répartir dans des assiettes et servir.

Le plus de Claudette
Fidèle à mes habitudes et à mes racines, je remplace le miel par 125 ml (¹/₂ tasse) de sirop d'érable.

Le bouillon de bœuf est important dans cette recette car il accentue la saveur de la sauce.

Cuisses de pintade Alfredo

PRÉPARATION : 20 MIN · · · · · · · · · · · · · CUISSON : 4 H 20 · · · · · · · · · · · · · 4 PORTIONS

INGRÉDIENTS

- 4 cuisses de pintade
- 1 c. à soupe de poudre d'oignon
- 2 c. à soupe d'huile d'olive extra vierge
- 250 ml (1 tasse) de vin blanc
- 500 ml (2 tasses) de bouillon de poulet
- 3 branches de thym
- 500 ml (2 tasses) de crème à fouetter 35 %
- 100 g (1 tasse) de pecorino râpé
- 1 gros jaune d'œuf, battu
- 4 oignons verts, hachés
- Sel et poivre

PRÉPARATION

Assaisonner les cuisses de pintade de poudre d'oignon. Saler et poivrer généreusement.

Dans un grand poêlon, faire chauffer l'huile d'olive. Ajouter les cuisses de pintade. Faire revenir à feu moyen pendant 3 min de chaque côté. Transférer dans la cocotte de la mijoteuse.

Déglacer le poêlon avec le vin blanc. Ajouter le bouillon et porter à ébullition. Verser dans la cocotte. Ajouter le thym. Couvrir. Cuire à basse température pendant 4 h.

À l'aide d'une écumoire, retirer les cuisses de pintade de la mijoteuse et les garder au chaud sur une assiette recouverte de papier aluminium.

Verser le contenu de la cocotte dans une grande casserole. Porter à ébullition à feu moyen. Au fouet, incorporer la crème et le pecorino.

Retirer la casserole du feu. Ajouter le jaune d'œuf et fouetter pendant 1 min. Saler et poivrer.

Verser la sauce crémeuse sur les cuisses de pintade. Garnir d'oignons verts et servir avec des pâtes.

Cuisses de pintade aux lardons

PRÉPARATION : 20 MIN   CUISSON : 5 H 15   4 PORTIONS

INGRÉDIENTS

- 4 c. à soupe de farine tout usage
- 2 c. à café d'ail séché en poudre
- 4 cuisses de pintade
- 450 g (2 tasses) de lardons
- 3 oignons, émincés
- 2 c. à soupe de beurre
- 250 ml (1 tasse) de vin blanc
- 4 c. à soupe de miel
- 1 L (4 tasses) de bouillon de bœuf
- 125 ml (½ tasse) de jus de tomate
- 1 c. à soupe de fécule de maïs
- Sel et poivre

PRÉPARATION

Dans un grand bol, mélanger la farine, l'ail séché en poudre, une généreuse pincée de sel et une autre de poivre. Passer les cuisses de pintade dans ce mélange. Secouer pour retirer l'excédent de farine.

Dans un poêlon, faire revenir à feu moyen les lardons et les oignons pendant 5 min. À l'aide d'une écumoire, transférer dans la cocotte de la mijoteuse.

Dans le même poêlon, faire fondre le beurre. Ajouter les cuisses de pintade. Faire revenir à feu moyen pendant 3 min de chaque côté. Transférer dans la cocotte.

Déglacer le poêlon avec le vin blanc. Ajouter le miel et porter à ébullition, en remuant. Verser sur les cuisses de pintade. Ajouter le bouillon et le jus de tomate. Saler et poivrer. Couvrir. Cuire à basse température pendant 5 h.

Dans un petit bol, mélanger la fécule de maïs et 60 ml (¼ tasse) du bouillon de cuisson. Remettre dans la cocotte et mélanger.

Répartir dans des assiettes et servir.

Fricassée de canard aux légumes et à l'orange

PRÉPARATION : 25 MIN   RÉFRIGÉRATION : 2 H   CUISSON : 5 H 40
4 PORTIONS

INGRÉDIENTS

- 500 ml (2 tasses) de jus d'orange
- 2 c. à soupe de sauce Worcestershire
- 1 c. à soupe d'ail séché en poudre
- 1 c. à café de paprika
- 1 c. à soupe d'huile végétale
- 4 cuisses de canard, en morceaux
- 4 ailes de canard
- 500 ml (2 tasses) de dés de tomate en conserve, avec le jus
- 500 ml (2 tasses) de bouillon de poulet
- 1 pincée de filaments de safran
- 1 gros oignon, haché
- 4 carottes, coupées en dés
- 2 poivrons, coupés en dés
- 2 courgettes moyennes, coupées en dés
- 4 c. à soupe de zeste d'orange râpé finement
- Sel et poivre

PRÉPARATION

Dans un grand bol, mélanger le jus d'orange, la sauce Worcestershire, l'ail séché en poudre, le paprika et l'huile. Ajouter les morceaux de cuisse et les ailes de canard. Mélanger. Couvrir. Réfrigérer pendant 2 h.

Dans la cocotte de la mijoteuse, mélanger les dés de tomate et leur jus, le bouillon et le safran. Ajouter l'oignon, les carottes et les poivrons. Saler et poivrer.

Retirer le grand bol du réfrigérateur. Transférer son contenu dans un grand poêlon. Porter à ébullition à feu vif pendant 5 min. Saler et poivrer.

Transférer le contenu du poêlon dans la cocotte. Couvrir. Cuire à basse température pendant 5 h.

Ajouter rapidement les courgettes et le zeste d'orange. Poursuivre la cuisson à haute température pendant 30 min.

Répartir dans des assiettes et servir avec une purée de pommes de terre.

Le plus de Claudette

J'incorpore 250 ml (1 tasse) de crème légère 15 % à la fin de la cuisson pour que la sauce soit plus onctueuse.

Le plus d'Andrea

Pour une touche exotique, j'ajoute 1 c. à soupe de curcuma et 1 pincée de poivre noir moulu avec les courgettes.

Utilisez toujours la meilleure qualité de safran, en petite quantité.

Mijoté d'ailes de dinde au maïs

INGRÉDIENTS

- 6 c. à soupe d'huile d'olive extra vierge
- 2 oignons moyens, hachés finement
- 3 poivrons rouges, coupés en quartiers
- 8 gousses d'ail, hachées finement
- 8 ailes de dinde
- 500 ml (2 tasses) de bière brune
- 24 champignons moyens, coupés en quartiers
- 500 ml (2 tasses) de coulis de tomate
- 250 ml (1 tasse) de bouillon de poulet
- 1 c. à soupe de sauce Worcestershire
- 2 c à soupe d'assaisonnement à taco
- 2 épis de maïs, coupés en tronçons
- 2 c. à soupe de ciboulette hachée finement
- Sel et poivre

PRÉPARATION

Dans un grand poêlon, faire chauffer la moitié de l'huile d'olive. Ajouter les oignons, les poivrons et l'ail. Faire revenir à feu moyen pendant 5 min. Transférer dans la cocotte de la mijoteuse.

Dans le même poêlon, ajouter le reste de l'huile d'olive et les ailes de dinde. Faire revenir à feu vif pendant 5 min. Transférer dans la cocotte. Saler et poivrer.

Déglacer le fond du poêlon avec la bière. Verser dans la cocotte. Ajouter les quartiers de champignon, le coulis de tomate, le bouillon, la sauce Worcestershire et l'assaisonnement à taco. Si les ailes ne sont pas recouvertes de liquide, ajouter du bouillon de poulet. Couvrir. Cuire à haute température pendant 3 h ou à basse température pendant 5 h.

Ajouter rapidement les tronçons de maïs et la ciboulette. Mélanger. Poursuivre la cuisson à haute température pendant 1 h.

Répartir dans des assiettes et servir.

Conseil

Les ailes de dinde sont souvent délaissées. Pourtant, elles sont charnues et délicieuses. Pour les préparer, découpez la pointe des ailes à la jointure. Les pointes d'ailes de dinde peuvent servir dans un bouillon de volaille.

Poissons et crustacés

Le poisson cuit à la mijoteuse
est facile à préparer. Ce mode
de cuisson lui donne une texture
étonnamment moelleuse.

La mijoteuse préserve la chair
délicate des crustacés et leur donne
une consistance exquise.

Saumon aux bok choys, au poivre et à l'orange

PRÉPARATION : 20 MIN   CUISSON : 3 H 45 OU 5 H 45   4 PORTIONS

INGRÉDIENTS

- 1 c. à soupe de poivre de Sichuan moulu
- 1 c. à soupe de poivre noir moulu
- 1 c. à café de sel
- 4 morceaux de filet de saumon
- 2 branches de céleri, émincées
- 5 gros bok choys, hachés grossièrement
- 2 oignons, hachés finement
- 1 étoile de badiane (anis étoilé)
- 1 pincée de cannelle
- 250 ml (1 tasse) de jus d'orange
- 250 ml (1 tasse) de jus de palourde
- 500 ml (2 tasses) de bouillon de poulet
- 3 oranges, pelées à vif et coupées en quartiers

PRÉPARATION

Dans un petit bol, mélanger le poivre de Sichuan, le poivre noir et le sel. Frotter les morceaux de saumon du mélange. Réserver.

Dans la cocotte de la mijoteuse, placer le céleri, les bok choys et les oignons. Déposer les morceaux de filet de saumon sur les légumes. Ajouter la badiane et la cannelle. Verser le jus d'orange, le jus de palourde et le bouillon. Couvrir. Cuire à haute température pendant 3 h ou à basse température pendant 5 h.

Ajouter rapidement les quartiers d'orange. Couvrir. Poursuivre la cuisson à haute température pendant 45 min.

À l'aide d'une écumoire, retirer la badiane. Répartir le saumon et les légumes dans des bols chauds. Servir.

Le plus de Claudette

Avant de servir ce plat, je l'arrose de 60 ml (1/4 tasse) de jus de citron.

Variante

Le saumon peut être remplacé par des filets de truite. Dans ce cas, la cuisson finale sera d'environ 30 min.

Le plus d'Andrea

Pour réveiller ce plat, j'ajoute 4 radis pelés et hachés finement en même temps que les quartiers d'orange.

Saumon en dés au caramel

INGRÉDIENTS

- 4 carottes moyennes, pelées et coupées en tranches
- 12 oignons verts entiers
- 500 ml (2 tasses) de bouillon de poulet
- 1 c. à café de sambal oelek (sauce pimentée)
- 3 c. à soupe de nuoc-mâm (sauce de poisson)
- 1 c. à café de gingembre frais râpé finement
- 4 morceaux de filet de saumon, en cubes
- 110 g (½ tasse) de cassonade
- 2 c. à soupe de beurre
- 3 c. à soupe de sauce soya légère
- 60 ml (¼ tasse) de jus de lime
- Sel et poivre

PRÉPARATION

Dans le fond de la cocotte de la mijoteuse, déposer les carottes et les oignons verts.

Dans un bol, mélanger le bouillon, le sambal oelek, le nuoc-mâm et le gingembre. Verser sur les légumes dans la cocotte. Couvrir. Cuire à haute température pendant 3 h ou à basse température pendant 6 h.

Saler et poivrer les cubes de saumon. Rouler dans la moitié de la cassonade. Les déposer rapidement dans la cocotte. Poursuivre la cuisson à haute température pendant 20 min.

À l'aide d'une écumoire, retirer les cubes de saumon.

Dans un poêlon, faire fondre le beurre. Lorsque le beurre est bouillonnant, ajouter les cubes de saumon. Saupoudrer du reste de cassonade. Les faire revenir à feu vif pendant 1 min de chaque côté. Arroser de sauce soya et de jus de lime. Cuire pendant 2 min.

Transférer les cubes de saumon sur des assiettes. Servir avec des légumes.

Saumon poché au pamplemousse

INGRÉDIENTS

- 250 ml (1 tasse) de jus de palourde
- 125 ml (½ tasse) de vin blanc sec
- 1 oignon, coupé en tranches
- 250 ml (1 tasse) de jus de pamplemousse
- 1 pamplemousse, coupé en quartiers
- 4 grains de poivre
- 1 branche d'aneth, hachée
- 4 darnes de saumon
- Sel et poivre

PRÉPARATION

Dans une casserole, porter à ébullition le jus de palourde et le vin blanc. Verser dans la cocotte de la mijoteuse. Ajouter l'oignon, le jus et les quartiers de pamplemousse, les grains de poivre et l'aneth. Cuire à haute température pendant 30 min.

Saler et poivrer les darnes de saumon. Déposer dans la cocotte. Couvrir. Cuire à haute température pendant 45 minutes.

Répartir dans des assiettes et servir avec du riz ou des légumes verts.

Le plus de Claudette

Je double la quantité de pamplemousse et juste avant de servir, après avoir retiré les darnes, j'écrase les morceaux de pamplemousse et les oignons au presse-purée pour obtenir une sauce plus épaisse.

Le plus d'Andrea

En même temps que les darnes de saumon, j'ajoute 60 ml (¼ tasse) de pernod ou d'une autre boisson anisée pour donner de l'ampleur au plat.

Caciucco
(bouillabaisse italienne au vin rouge)

PRÉPARATION : 20 MIN

RÉFRIGÉRATION : 3 H 30

CUISSON : 3 H 50 OU 6 H 50

4 PORTIONS

INGRÉDIENTS

- 3 c. à soupe d'huile d'olive extra vierge
- 2 oignons blancs, émincés
- 5 carottes, pelées et coupées en rondelles
- 2 gros bulbes de fenouil, émincés
- 500 ml (2 tasses) de jus de palourde
- 250 ml (1 tasse) de jus de tomate
- 1 c. à soupe de pâte de tomate
- 4 feuilles de sauge, hachées finement
- 1 feuille de laurier
- 1 piment fort, coupé en moitié
- 500 ml (2 tasses) de vin rouge
- 1 c. à café de graines de fenouil
- 12 crevettes crues décortiquées
- 2 filets de mahi-mahi, en cubes
- 24 moules, nettoyées
- 1 citron, coupé en quartiers
- Croûtons
- Sel et poivre

Le plus d'Andrea

Plus il y a de piment, meilleur ce plat devient. Ajoutez donc un peu de piment séché en même temps que le mélange de poisson et de crevettes.

PRÉPARATION

Dans un poêlon, faire chauffer l'huile d'olive. Ajouter les oignons, les carottes et le fenouil. Faire revenir à feu moyen pendant 5 min.

Transférer le contenu du poêlon dans la cocotte de la mijoteuse. Saler et poivrer. Verser le jus de palourde, le jus de tomate et la pâte de tomate. Mélanger. Ajouter la sauge, le laurier et le piment fort. Cuire à haute température pendant 3 h ou à basse température pendant 6 h.

Pendant ce temps, dans un grand bol, mélanger le vin rouge, les graines de fenouil, une pincée de sel et une autre de poivre. Ajouter les crevettes et les cubes de mahi-mahi. Couvrir. Réfrigérer pendant 3 h 30.

Retirer le bol du réfrigérateur et laisser reposer pendant 30 min.

Égoutter le poisson et les crevettes. Verser le liquide de macération dans une casserole. Porter à ébullition pendant 3 min. Retirer du feu. Transférer le mélange de poisson et de crevettes avec le liquide de macération dans la cocotte. Ajouter les moules. Couvrir. Poursuivre la cuisson à haute température pendant 45 min.

Jeter les moules qui ne sont pas ouvertes. Répartir dans des bols. Servir avec les quartiers de citron et les croûtons.

Cari de crevettes à la thaïlandaise

INGRÉDIENTS

- 2 c. à soupe d'huile de coco
- 1 gros oignon, pelé et haché finement
- 2 gousses d'ail, hachées finement
- 1 poivron rouge, coupé en dés
- 1 poivron jaune, coupé en dés
- 2 c. à soupe de pâte de cari rouge
- 1 c. à soupe de gingembre frais émincé
- 2 tomates mûres, hachées finement
- 500 ml (2 tasses) de lait de coco
- 1 c. à café d'origan séché
- 2 c. à soupe de nuoc-mâm (sauce de poisson)
- 675 g (1 ½ lb) de crevettes crues décortiquées
- 450 g (3 tasses) de petits pois surgelés
- 6 oignons verts, hachés
- 1 c. à café de sambal oelek (sauce pimentée)
- 210 g (1 ¼ tasse) de nouilles de riz cuites

PRÉPARATION

Dans un grand poêlon, faire chauffer l'huile de coco. Ajouter l'oignon, l'ail et les poivrons. Faire sauter à feu moyen pendant 3 min. Ajouter la pâte de cari et mélanger. Ajouter le gingembre, les tomates, le lait de coco, l'origan séché et le nuoc-mâm. Mélanger. Porter à ébullition.

Transférer le contenu du poêlon dans la cocotte de la mijoteuse. Couvrir. Cuire à haute température pendant 4 h ou à basse température pendant 6 h.

Ajouter rapidement les crevettes, les petits pois, les oignons verts et le sambal oelek. Poursuivre la cuisson à haute température pendant 45 min.

Ajouter rapidement les nouilles cuites dans la cocotte. Mélanger. Répartir dans des assiettes et servir immédiatement.

Crevettes au citron et au basilic

INGRÉDIENTS

- 1 c. à soupe d'huile végétale
- 1 oignon, haché finement
- 12 jeunes carottes, coupées en rondelles
- 1 branche de céleri, hachée finement
- 2 gousses d'ail, hachées
- 250 ml (1 tasse) de jus de palourde
- 500 ml (2 tasses) de bouillon de poulet
- 3 citrons, pelés et coupés en tranches
- 2 branches d'aneth frais
- 2 piments rouges, émincés
- Le zeste d'un citron, en fines lanières
- 675 g (1 ½ lb) de crevettes moyennes décortiquées
- 12 feuilles de basilic, hachées grossièrement
- Sel et poivre

PRÉPARATION

Dans un poêlon, faire chauffer l'huile. Ajouter l'oignon, les carottes et le céleri. Faire revenir à feu moyen pendant 4 min. Saler et poivrer légèrement. Ajouter l'ail, le jus de palourde et le bouillon. Porter à ébullition.

Transférer le contenu du poêlon dans la cocotte de la mijoteuse. Ajouter les tranches de citron, l'aneth et les piments. Couvrir. Cuire à haute température pendant 3 h ou à basse température pendant 6 h.

Ajouter rapidement le zeste de citron, les crevettes et les feuilles de basilic. Mélanger. Couvrir. Poursuivre la cuisson à haute température pendant 40 min.

Répartir dans des assiettes et servir avec du riz.

Le plus d'Andrea

J'incorpore 1 c. à soupe de sauce aux huîtres en même temps que les crevettes.

Le plus de Claudette

Les enfants adorent les crevettes! J'en profite pour ajouter des petits bouquets de brocoli cuits juste avant de servir.

Flétan aux épices coréennes

PRÉPARATION : 25 MIN　　　　　CUISSON : 3 H 40 OU 6 H 40　　　　　4 PORTIONS

INGRÉDIENTS

- 3 pommes de terre moyennes, coupées en tranches
- 3 c. à soupe d'huile végétale
- 1 oignon, haché finement
- 2 gros poireaux, émincés
- 500 ml (2 tasses) de tomates concassées en conserve, avec le jus
- 2 gousses d'ail, hachées
- 2 c. à soupe de graines de sésame noir
- 1 c. à soupe de cassonade
- 2 c. à café de gochugaru (piment coréen)
- 1 c. à café de gingembre frais râpé finement
- 1 c. à café de gingembre moulu
- 2 c. à soupe de farine tout usage
- 675 g (1 ½ lb) de filets de flétan, en 4 morceaux
- Sel et poivre

Le plus de Claudette

Je remplace quelquefois le flétan par des filets de tilapia et je les cuis de la même manière.

PRÉPARATION

Dans la cocotte de la mijoteuse, placer les tranches de pomme de terre.

Dans un poêlon, faire chauffer 2 c. à soupe d'huile. Ajouter l'oignon et les poireaux. Cuire à feu moyen pendant 7 min. Ajouter les tomates avec leur jus et l'ail. Porter à ébullition. Transférer dans la cocotte sur les pommes de terre.

Dans un petit bol, mélanger les graines de sésame, la cassonade, le gochugaru, le gingembre râpé, le gingembre moulu, une bonne pincée de sel et une autre de poivre. Ajouter dans la cocotte et mélanger. Couvrir. Cuire à haute température pendant 3 h ou à basse température pendant 6 h.

Dans une assiette, mélanger la farine et une pincée de sel. Passer le flétan dans le mélange. Secouer pour retirer l'excédent de farine.

Dans un grand poêlon, faire chauffer le reste de l'huile. Ajouter les morceaux de flétan. Faire revenir à feu moyen-vif pendant 2 min de chaque côté. Transférer dans la cocotte. Couvrir. Poursuivre la cuisson à haute température pendant 20 min.

Répartir dans des assiettes et servir.

Variante

Le gochugaru est disponible dans les épiceries asiatiques. Il peut être remplacé par du piment séché en poudre.

Jambalaya de fruits de mer

INGRÉDIENTS

- 3 c. à soupe d'huile végétale
- 4 oignons, émincés
- 2 poivrons verts, hachés
- 2 saucisses fumées, coupées en rondelles
- 4 gousses d'ail, hachées
- 1 c. à café de paprika fumé
- 300 g (1 ½ tasse) de riz à grain long
- 125 ml (½ tasse) de vin blanc sec
- 250 ml (1 tasse) de jus de palourde
- 500 ml (2 tasses) de bouillon de poulet
- 250 ml (1 tasse) de tomates écrasées en conserve, avec le jus
- 2 feuilles de laurier
- 450 g (1 lb) de rondelles de calmar
- 1 ½ c. à soupe d'assaisonnement cajun
- 450 g (1 lb) de crevettes décortiquées et déveinées
- 16 moules, nettoyées
- 2 c. à café de persil haché finement
- Sel et poivre

PRÉPARATION

Dans un poêlon, faire chauffer l'huile. Ajouter les oignons et les poivrons. Faire revenir à feu moyen pendant 5 min. Ajouter les saucisses, l'ail et le paprika fumé. Cuire pendant 2 min. Ajouter le riz. Faire revenir à feu moyen pendant 2 min. Verser le vin, le jus de palourde et le bouillon. Porter à ébullition.

Retirer le poêlon du feu. Transférer son contenu dans la cocotte de la mijoteuse. Ajouter les tomates et leur jus. Saler et poivrer. Ajouter le laurier et les rondelles de calmar. Saupoudrer d'assaisonnement cajun. Mélanger.

Poser un linge de table propre plié en deux sur le dessus de la mijoteuse en le laissant dépasser de chaque côté de la mijoteuse. Mettre le couvercle par-dessus et remonter les bords du linge autour du couvercle. Cuire à haute température pendant 2 h ou à basse température pendant 3 h 30.

Soulever le couvercle puis retirer le linge. Ajouter rapidement les crevettes, les moules et le persil. Couvrir. Poursuivre la cuisson à haute température pendant 30 min.

Répartir dans des bols et servir.

Le plus de Claudette

J'ajoute 1 citron coupé en quartiers en même temps que les fruits de mer et quelques gouttes de tabasco avant de servir.

Pour préparer un assaisonnement cajun maison, mélangez en parts égales de l'origan séché, du thym séché, du piment moulu, du sel d'ail et de la poudre d'oignon.

Moules aux tomates et aux herbes

PRÉPARATION : 15 MIN   CUISSON : 4 H 40 OU 8 H 40   4 PORTIONS

INGRÉDIENTS

- 2 c. à soupe d'huile d'olive extra vierge
- 2 gros oignons, hachés finement
- 3 branches de céleri, hachées finement
- 3 gousses d'ail, hachées finement
- 1 c. à café de romarin frais haché
- 1 c. à café d'origan séché
- 1 c. à café de graines de coriandre moulues
- 750 ml (3 tasses) de tomates concassées en conserve, avec le jus
- 500 ml (2 tasses) de jus de tomate
- 500 ml (2 tasses) de bouillon de légumes
- 1,8 kg (4 lb) de moules, nettoyées
- 1 petit bouquet de coriandre fraîche
- 1 petit bouquet de pousses de radis
- Sel et poivre

PRÉPARATION

Dans un poêlon, faire chauffer l'huile d'olive. Ajouter les oignons et le céleri. Faire revenir à feu moyen pendant environ 4 min. Ajouter l'ail, le romarin, l'origan séché et les graines de coriandre. Cuire pendant 1 min, en remuant. Ajouter les tomates et leur jus, le jus de tomate et le bouillon. Saler et poivrer. Porter à ébullition.

Transférer le contenu du poêlon dans la cocotte de la mijoteuse. Couvrir. Cuire à haute température pendant 4 h ou à basse température pendant 8 h.

Tamiser le bouillon au-dessus d'un grand bol. Jeter les légumes. Remettre le bouillon dans la cocotte. Ajouter les moules. Couvrir. Cuire à haute température pendant 30 min.

Jeter toutes les moules qui ne sont pas ouvertes. Répartir les moules et le bouillon dans des bols. Garnir de coriandre et de pousses de radis avant de servir.

Le plus de Claudette

J'ajoute souvent des petits morceaux de bacon en même temps que les oignons pour donner un goût fumé au bouillon.

Variante

Ajoutez une pincée de safran en même temps que les moules pour parfumer le bouillon.

Ragoût de crustacés à la citronnelle

PRÉPARATION : 25 MIN   CUISSON : 3 H 40 OU 6 H 40   6 PORTIONS

INGRÉDIENTS

- 2 c. à soupe d'huile végétale
- 1 oignon, haché finement
- 2 poivrons rouges, coupés en cubes
- 1 petite courge, pelée et coupée en dés
- 2 pommes de terre, pelées et coupées en dés
- 2 gousses d'ail, hachées
- 2 bâtons de citronnelle, émincés
- 750 ml (3 tasses) de bouillon de poulet
- 2 c. à café de persil haché finement
- 500 ml (2 tasses) de tomates broyées en conserve, avec le jus
- 12 palourdes
- 16 grosses crevettes
- 12 moules, nettoyées

PRÉPARATION

Dans un poêlon, faire chauffer l'huile. Ajouter l'oignon et les poivrons. Faire revenir à feu moyen pendant 5 min. Ajouter la courge, les pommes de terre, l'ail et la citronnelle. Cuire pendant 1 min. Verser le bouillon et porter à ébullition.

Transférer le contenu du poêlon dans la cocotte de la mijoteuse. Ajouter le persil, les tomates et leur jus. Couvrir. Cuire à haute température pendant 3 h ou à basse température pendant 6 h.

Ajouter rapidement les palourdes, les crevettes et les moules. Couvrir. Cuire à haute température pendant 30 min.

Répartir dans des bols et servir.

Conseil

La sauce sera plus onctueuse en ajoutant 250 ml (1 tasse) de lait de coco juste avant de mettre les fruits de mer.

Le plus de Claudette

Je sers ce plat avec du pain tartiné de beurre à l'ail ou aux herbes.

Plats végétariens

Chilis, ragoûts, ratatouilles, trempettes : tout est permis pour transformer à la mijoteuse les légumes en repas de fête.

Artichauts et épeautre barigoule

PRÉPARATION : 20 MIN   TREMPAGE : 6 H   CUISSON : 4 H 30 OU 7 H

4 PORTIONS

INGRÉDIENTS

- 225 g (2 ¼ tasses) d'épeautre
- 12 jeunes carottes, pelées
- 750 ml (3 tasses) de bouillon de légumes
- 125 ml (½ tasse) d'huile d'olive extra vierge
- 2 gousses d'ail, hachées finement
- 2 branches de thym
- 1 branche de céleri entière
- 1 feuille de laurier
- 12 cœurs d'artichauts surgelés
- 16 olives noires
- Sel et poivre

PRÉPARATION

Rincer l'épeautre. Déposer dans un grand bol et couvrir d'eau froide. Laisser tremper pendant 6 h.

Égoutter l'épeautre. Transférer dans la cocotte de la mijoteuse. Ajouter les carottes. Verser le bouillon et ajouter 1 c. à soupe d'huile d'olive, l'ail, le thym, le céleri et le laurier. Couvrir. Cuire à haute température pendant 3 h 30 ou à basse température pendant 6 h.

À l'aide d'une écumoire, retirer la branche de céleri. Ajouter les cœurs d'artichauts et les olives. Poursuivre la cuisson à haute température pendant 1 h.

Saler et poivrer. Arroser du reste d'huile d'olive et mélanger. Servir.

L'épeautre est fréquemment utilisé dans la cuisine méditerranéenne. Il est en général disponible dans les épiceries fines, les boutiques d'aliments naturels ou les marchés italiens. Ces grains se cuisinent particulièrement bien à la mijoteuse.

Betteraves jaunes au miel

INGRÉDIENTS

- 125 ml (½ tasse) de miel
- 60 ml (¼ tasse) de jus de citron
- 1 c. à soupe de vinaigre de cidre
- 500 ml (2 tasses) de bouillon de légumes
- 8 betteraves jaunes moyennes, pelées et coupées en quartiers
- 1 c. à café de sel
- ½ c. à café de poivre blanc moulu
- 1 branche de thym
- 4 brins de lavande
- 1 c. à café de ciboulette hâchée finement

Servez ce plat en entrée avec un peu de fromage de chèvre émietté ou en accompagnement d'une volaille rôtie.

PRÉPARATION

Dans la cocotte de la mijoteuse, mélanger le miel, le jus de citron, le vinaigre et le bouillon. Ajouter les betteraves, le sel, le poivre, le thym et la lavande. Couvrir. Cuire à haute température pendant 4 h ou à basse température pendant 8 h.

À l'aide d'une écumoire, retirer le thym. Parsemer de ciboulette. Servir avec le jus de cuisson.

Blé dur aux légumes braisés

PRÉPARATION : 20 MIN   MACÉRATION : 8 H   CUISSON : 5 H 10 OU 10 H 10

6 PORTIONS

INGRÉDIENTS

- 210 g (1 ¾ tasse) de blé dur
- 1 oignon, haché
- 2 c. à soupe de beurre fondu
- 3 branches de thym
- 1 feuille de laurier
- 1 c. à café de zeste de citron râpé finement
- 1 L (4 tasses) de bouillon de légumes
- 2 c. à soupe de sauce Worcestershire
- 2 c. à soupe de beurre
- 3 panais, pelés et coupés en tronçons
- 6 carottes, pelées et coupées en tronçons
- Sel et poivre

Conseil
À déguster avec du gouda râpé à volonté.

PRÉPARATION

Dans un grand bol d'eau froide, faire tremper le blé dur pendant 8 h.

Égoutter le blé dur. Déposer dans le fond de la cocotte de la mijoteuse. Ajouter l'oignon, le beurre fondu, le thym, le laurier et le zeste de citron. Mélanger. Saler et poivrer. Verser le bouillon et la sauce Worcestershire. Mélanger. Couvrir. Cuire à haute température pendant 3 h ou à basse température pendant 6 h.

Dans un poêlon, faire fondre le beurre. Ajouter les panais et les carottes. Faire revenir à feu moyen pendant 8 min.

Retirer le poêlon du feu. Transférer son contenu dans la cocotte, en les incorporant bien dans le blé dur. Poursuivre la cuisson à haute température pendant 2 h ou à basse température pendant 4 h.

Répartir dans des assiettes et servir.

Caviar d'aubergines

INGRÉDIENTS

- 2 aubergines moyennes
- 3 tomates, hachées finement
- 2 échalotes, hachées finement
- 5 gousses d'ail, émincées
- 125 ml (½ tasse) d'huile d'olive extra vierge
- ½ c. à café de piment d'Espelette
- 1 ½ c. à café d'origan séché
- 60 ml (¼ tasse) de jus de citron
- 8 olives noires dénoyautées, hachées
- Sel et poivre

Le plus de Claudette

Je sers ce plat en entrée avec des quartiers de citron, un gros bol d'olives et des crevettes cuites pour faire trempette.

Le plus d'Andrea

Ajoutez quelques zestes d'orange et une pincée de ras-el-hanout (épices à couscous) supplémentaire pour une touche marocaine.

PRÉPARATION

À l'aide d'une fourchette, piquer la peau des aubergines en plusieurs endroits. Les placer dans la cocotte de la mijoteuse. Ajouter les tomates, les échalotes et 3 gousses d'ail. Couvrir. Cuire à basse température pendant 4 h.

À l'aide d'une écumoire, retirer les aubergines délicatement et les laisser refroidir à température ambiante. Les couper en moitié. Retirer la pulpe à l'aide d'une cuillère.

Transférer la pulpe d'aubergine dans un robot culinaire. Ajouter la sauce de la cocotte, le reste de l'ail, l'huile d'olive, le piment d'Espelette et l'origan séché. Mélanger par petits coups jusqu'à l'obtention d'une purée. Incorporer le jus de citron et les olives hachées. Saler et poivrer généreusement. Mélanger.

Servir avec du pain grillé.

Chili de haricots blancs au quinoa et aux poivrons

INGRÉDIENTS

- 2 c. à soupe d'huile d'olive extra vierge
- 2 oignons, hachés finement
- 1 branche de céleri, hachées finement
- 2 poivrons jaunes, coupés en dés
- 1 L (4 tasses) de tomates en conserve, avec le jus
- 6 gousses d'ail, émincées
- 1 c. à soupe de cumin moulu
- 1 c. à soupe de poudre de chili
- 1 c. à soupe d'origan séché
- 2 piments forts, hachés finement
- 450 g (6 tasses) de haricots blancs en conserve
- 190 g (1 tasse) de quinoa blanc
- 500 ml (2 tasses) de bouillon de légumes
- 1 c. à soupe de fécule de maïs
- 1 c. à soupe de cassonade
- 1 c. à café de poivre noir moulu
- 1 lime, coupée en quartiers
- Sel

PRÉPARATION

Dans un poêlon, faire chauffer l'huile d'olive. Ajouter les oignons, le céleri et les poivrons. Faire revenir à feu moyen pendant 5 min. Ajouter les tomates hachées grossièrement et leur jus, l'ail, le cumin, la poudre de chili, l'origan séché et les piments. Porter à ébullition, en remuant. Saler.

Transférer le contenu du poêlon dans la cocotte de la mijoteuse. Ajouter les haricots et le quinoa. Verser le bouillon. Mélanger. Couvrir. Cuire à haute température pendant 3 h ou à basse température pendant 6 h.

Dans un robot culinaire, mélanger la fécule de maïs, la cassonade, le poivre et 250 ml (1 tasse) de liquide de cuisson. Incorporer dans la cocotte. Couvrir. Cuire à haute température pendant 15 min. Mélanger.

Servir avec les quartiers de lime.

Le chili est le plat parfait à cuire à la mijoteuse. Les différentes saveurs des aliments se mélangent lentement les unes aux autres et développent des arômes profonds aux accents pimentés.

Le plus de Claudette

Je sers ce chili avec beaucoup de cheddar râpé.

Chili végétarien

INGRÉDIENTS

- 2 c. à soupe d'huile végétale
- 2 oignons, émincés
- 1 grosse courge, pelée et coupée en cubes
- 1 c. à soupe de cumin moulu
- 4 c. à café d'origan séché
- 1 c. à café de poudre d'ail
- 250 g (4 tasses) de haricots noirs en conserve, égouttés
- 4 tomates moyennes, coupées en dés
- 500 ml (2 tasses) de coulis de tomate
- 60 ml (¼ tasse) de pâte de tomate
- 3 c. à soupe de poudre de chili
- 1 bouquet de bébés épinards
- 2 c. à soupe d'huile d'olive extra vierge
- Sel et poivre

PRÉPARATION

Dans un poêlon, faire chauffer l'huile. Ajouter les oignons et les cubes de courge. Faire revenir à feu moyen pendant 4 min.

Transférer le contenu du poêlon dans la cocotte de la mijoteuse. Ajouter le cumin, l'origan séché, la poudre d'ail, les haricots noirs, les dés de tomate, le coulis de tomate, la pâte de tomate et la poudre de chili. Saler et poivrer. Mélanger. Couvrir. Cuire à haute température pendant 5 h ou à basse température pendant 8 h.

Ajouter rapidement les épinards et mélanger. Arroser d'huile d'olive. Servir.

Délice primavera

INGRÉDIENTS

- 2 c. à soupe d'huile végétale
- 1 oignon, haché
- 6 carottes, coupées en moitié horizontalement
- 8 petits poivrons, coupés en moitié
- 1 gousse d'ail, émincée
- 1 c. à soupe d'herbes de Provence
- 1,5 L (6 tasses) de bouillon de légumes
- 190 g (1 tasse) de quinoa
- 1 brocoli, coupé en petits bouquets
- 150 g (1 tasse) de petits pois
- Sel et poivre

Vinaigrette
- 1 gros bouquet de basilic
- 2 c. à soupe de vinaigre de cidre
- 250 ml (1 tasse) d'huile d'olive extra vierge
- 1 bonne pincée de sel

PRÉPARATION

Dans un poêlon, faire chauffer l'huile. Ajouter l'oignon, les carottes et les poivrons. Faire revenir à feu moyen pendant 5 min. Saler et poivrer.

Transférer le contenu du poêlon dans la cocotte de la mijoteuse. Ajouter l'ail et les herbes de Provence. Verser le bouillon et mélanger. Ajouter le quinoa. Couvrir. Cuire à haute température pendant 3 h ou à basse température pendant 5 h.

Ajouter rapidement le brocoli et les petits pois. Poursuivre la cuisson à haute température pendant 1 h.

Pendant ce temps, préparer la vinaigrette en mélangeant tous les ingrédients dans un robot culinaire.

Égoutter le contenu de la cocotte. Répartir dans des assiettes et servir avec la vinaigrette.

Le plus d'Andrea
Relevez ce plat en ajoutant 1 petit piment fort haché et 1 c. à soupe de zeste de citron à la vinaigrette.

Le plus de Claudette
Pour donner une saveur plus riche, versez 250 ml (1 tasse) de coulis de poivron en même temps que le bouillon.

Lasagne aux légumes

PRÉPARATION : 30 MIN   CUISSON : 3 H OU 5 H   6 PORTIONS

INGRÉDIENTS

- 2 c. à soupe d'huile d'olive extra vierge
- 250 ml (1 tasse) de ricotta
- 1 L (4 tasses) de béchamel
- 1 gros œuf, battu
- 1 L (4 tasses) de sauce tomate
- 9 feuilles de lasagne
- 2 gousses d'ail, émincées
- 225 g (2 tasses) de champignons de Paris, émincées finement
- 450 g (2 ½ tasses) de haricots verts (ou jaunes) cuits
- 1 gros bouquet d'épinards, effeuillé
- 690 g (6 tasses) de mozzarella râpée
- 200 g (2 tasses) de parmesan râpé
- Sel et poivre

PRÉPARATION

Couvrir le fond et les bords de la cocotte de la mijoteuse de papier aluminium, en laissant dépasser le papier sur les bords de la mijoteuse. Badigeonner d'huile d'olive.

Dans un bol, mélanger la ricotta, la béchamel et l'œuf.

Couvrir le fond de la cocotte d'un peu de sauce tomate. Placer quelques feuilles de lasagne pour couvrir le fond de la cocotte en les cassant si nécessaire pour les ajuster. Répartir l'ail sur les pâtes. Verser un tiers de la sauce tomate pour bien les napper. Couvrir d'un tiers du mélange de béchamel. Ajouter la moitié des champignons, la moitié des haricots cuits et la moitié des feuilles d'épinards. Couvrir d'un tiers de mozzarella râpée.

Faire un autre étage de la même façon. Couvrir des dernières pâtes, puis du reste du mélange de béchamel. Saupoudrer de parmesan râpé. Garnir du reste de mozzarella râpée.

Poser un linge de table plié en deux sur le dessus de la mijoteuse en le laissant dépasser de chaque côté de la mijoteuse. Mettre le couvercle par-dessus et remonter les bords du linge autour du couvercle. Cuire à haute température pendant 3 h ou à basse température pendant 5 h.

Soulever le couvercle puis retirer le linge. Laisser reposer pendant 5 min.

Avec des gants à four, retirer délicatement la lasagne en soulevant le papier aluminium. Répartir dans des assiettes. Servir immédiatement.

Macaroni aux 3 fromages et aux tomates séchées

PRÉPARATION : 10 MIN   CUISSON : 4 H   6 PORTIONS

INGRÉDIENTS

- 3 c. à soupe d'huile végétale
- 500 g (4 tasses) de cheddar fort râpé
- 230 g (2 tasses) de fromage Monterey Jack râpé
- 5 c. à soupe de parmesan râpé
- 450 g (1 lb) de macaronis coupés
- 750 ml (3 tasses) de lait évaporé
- 750 ml (3 tasses) de lait entier
- 3 c. à soupe de beurre salé
- 2 gros œufs, battus
- 1 c. à café de moutarde sèche
- 1 c. à café de poudre d'oignon
- 1 c. à soupe de sauce sriracha (ou autre sauce pimentée)
- 12 tomates séchées, coupées en lanières
- 3 c. à soupe de persil haché finement
- 2 c. à soupe de cerfeuil haché finement
- Sel et poivre

PRÉPARATION

Badigeonner le fond de la cocotte de la mijoteuse d'huile végétale.

Dans un bol, mélanger les fromages râpés.

Dans un grand bol, mélanger les macaronis, le lait évaporé, le lait entier, le beurre, les œufs, la moutarde sèche, la poudre d'oignon, la sauce sriracha et la moitié du mélange de fromages râpés. Saler et poivrer généreusement. Transférer dans la cocotte de la mijoteuse. Ajouter les tomates séchées, le persil et le cerfeuil. Garnir du reste de mélange de fromages râpés. Couvrir. Cuire à basse température pendant 4 h.

Répartir dans des assiettes et servir.

Le plus d'Andrea

L'ajout d'une généreuse c. à soupe de sauce Worcestershire en début de cuisson dynamise ce plat que je sers sur un lit de feuilles d'épinards pour le plaisir des yeux autant que celui du palais.

Le plus de Claudette

Ajoutez 4 tomates fraîches hachées en plus des tomates séchées pour rehausser la saveur.

Poivrons farcis aux haricots et au couscous

PRÉPARATION : 25 MIN   TREMPAGE : 5 MIN   CUISSON : 4 H OU 6 H

4 PORTIONS

INGRÉDIENTS

- 300 g (1 ½ tasse) de semoule
- 1 L (4 tasses) de bouillon de légumes
- 4 gros poivrons entiers
- 1 c. à café de muscade moulue
- 1 c. à café d'origan séché
- 1 c. à soupe de miel
- 1 gros poivron rouge, coupé en dés
- 125 g (2 tasses) de haricots rouges en conserve, égouttés
- 1 gousse d'ail, hachée finement
- 4 oignons verts, hachés grossièrement
- 2 c. à café de persil séché
- Sel et poivre

Sauce verte
- 1 bouquet de persil
- 1 bouquet de basilic
- 125 ml (½ tasse) d'huile d'olive extra vierge
- 2 c. à soupe de jus de citron
- 1 pincée de muscade
- ½ c. à café de sucre
- ½ c. à café de sel

PRÉPARATION

Placer la semoule dans un grand bol. Verser 750 ml (3 tasses) de bouillon. Mélanger. Couvrir le bol d'une assiette. Laisser gonfler pendant 5 min.

Couper le dessus des poivrons entiers juste en-dessous de la tige. Épépiner. Saupoudrer l'intérieur de muscade et d'origan séché. Réserver sur une assiette.

À l'aide d'une fourchette, décoller les grains de semoule.

Dans un grand bol, mélanger le miel, les dés de poivron, les haricots, l'ail, les oignons verts et le persil. Saler et poivrer. Ajouter la semoule et mélanger. Farcir les poivrons de ce mélange.

Couvrir le fond de la cocotte de la mijoteuse de 2 feuilles de papier sulfurisé. Transférer les poivrons dans la cocotte. Verser le reste du bouillon autour des poivrons. Couvrir. Cuire à haute température pendant 4 h ou à basse température pendant 6 h.

Peu avant la fin de la cuisson, préparer la sauce verte. Dans un robot culinaire, mélanger le persil et le basilic par petits coups jusqu'à l'obtention d'un hachis fin. Ajouter le reste des ingrédients et mélanger jusqu'à l'obtention d'une purée épaisse.

À l'aide d'une écumoire, retirer délicatement les poivrons de la cocotte. Servir avec la sauce verte.

Ragoût de fèves de lima et de riz à la sauge

PRÉPARATION : 20 MIN   CUISSON : 3 H 10   4 PORTIONS

INGRÉDIENTS

- 2 c. à soupe d'huile végétale (pour la cocotte) + 3 c. à soupe
- 1 c. à soupe de sel d'ail
- ½ c. à café de poivre blanc moulu
- 2 poivrons jaunes, coupés en quartiers
- 3 carottes, pelées et coupées en rondelles
- 8 tomates séchées
- 4 oignons verts, émincés finement
- 255 g (1 ½ tasse) de fèves de lima congelées
- 4 feuilles de sauge, hachées
- 220 g (1 tasse) de riz à grain court
- 1 L (4 tasses) de bouillon de légumes
- 60 ml (¼ tasse) de jus de citron

PRÉPARATION

Huiler la cocotte de la mijoteuse.

Dans un poêlon, mélanger l'huile, le sel d'ail et le poivre. Faire chauffer à feu moyen pendant 2 min. Ajouter les poivrons et les carottes. Faire revenir pendant 5 min.

Transférer le contenu du poêlon dans la cocotte. Ajouter les tomates séchées, les oignons verts, les fèves de lima, la sauge et le riz. Verser le bouillon et mélanger. Couvrir. Cuire à haute température pendant 3 h.

Arroser de jus de citron et mélanger avant de servir.

Le plus d'Andrea

Je remplace quelquefois la sauge par du thym et j'ajoute 1 c. à soupe de curcuma dans le mélange d'huile qui prendra une jolie teinte et sera délicatement parfumé.

Le plus de Claudette

L'ajout d'un bâton de cannelle en même temps que le bouillon parfume agréablement ce plat. Retirez-le avant de servir.

Ragoût de légumes au boulgour

PRÉPARATION : 20 MIN   TREMPAGE : 15 MIN   CUISSON : 4 H OU 7 H

6 PORTIONS

INGRÉDIENTS

- 2 c. à soupe d'huile végétale (pour la cocotte) + 3 c. à soupe
- 225 g (1 tasse) de boulgour
- 500 ml (2 tasses) d'eau chaude
- 1 oignon, haché finement
- 4 carottes, pelées et coupées en tranches
- 1 navet, pelé et coupé en dés
- 1 feuille de laurier
- 750 ml (3 tasses) de bouillon de légumes
- 125 ml (½ tasse) de café fort
- 500 ml (2 tasses) de dés de tomate en conserve
- 1 c. à soupe de cassonade
- 1 c. à soupe de sauce chili
- 1 c. à soupe d'épices à BBQ
- 1 c. à café d'herbes de Provence
- 300 g (3 tasses) de pois mange-tout
- 125 ml (½ tasse) de crème sure
- 250 ml (1 tasse) de guacamole
- Sel et poivre

PRÉPARATION

Huiler la cocotte de la mijoteuse.

Dans un bol, mélanger le boulgour et l'eau chaude. Laisser reposer pendant 15 min.

Égoutter le boulgour en pressant avec les mains et à l'aide d'une écumoire pour retirer le plus d'eau possible. Transférer dans la cocotte. Ajouter l'oignon, les carottes, le navet et le laurier. Saler et poivrer.

Dans un bol, mélanger le bouillon, le café, les tomates, la cassonade, la sauce chili et les épices à BBQ. Verser dans la cocotte et mélanger. Saupoudrer d'herbes de Provence. Couvrir. Cuire à haute température pendant 3 h ou à basse température pendant 6 h.

Ajouter rapidement les pois mange-tout. Couvrir. Poursuivre la cuisson à haute température pendant 1 h.

À l'aide d'une écumoire, retirer le laurier. Répartir dans des assiettes. Servir avec la crème sure et le guacamole.

Le plus d'Andrea
J'ajoute 1 piment fort en même temps que le boulgour car ma famille apprécie les mets relevés.

Le plus de Claudette
Je remplace les épices à BBQ par la même quantité d'assaisonnement à taco.

Riz brun au brocoli

INGRÉDIENTS

- 3 c. à soupe de beurre
- 2 échalotes, hachées finement
- 2 branches de céleri, hachées finement
- 225 g (1 ¼ tasse) de riz brun
- 750 ml (3 tasses) de bouillon de légumes
- 1 c. à café de paprika
- 1 petite branche de romarin
- 1 brocoli, coupé en petits bouquets
- 110 g (1 tasse) d'amandes effilées
- 2 c. à soupe de ciboulette hachée finement
- Sel et poivre

Le plus de Claudette

Pour donner un goût plus intense, j'ajoute 3 c. à soupe de mélange à soupe à l'oignon déshydraté tout en versant le bouillon.

PRÉPARATION

Dans une casserole, faire fondre le beurre. Ajouter les échalotes et le céleri. Faire revenir à feu moyen pendant 4 min. Ajouter le riz brun. Faire revenir pendant 4 min. Saler et poivrer. Verser le bouillon et porter à ébullition.

Transférer le contenu du poêlon dans la cocotte de la mijoteuse. Ajouter le paprika et le romarin. Couvrir. Cuire à haute température pendant 2 h 30.

À l'aide d'une écumoire, retirer le romarin. Ajouter rapidement le brocoli et les amandes. Poursuivre la cuisson à haute température pendant 30 min.

Répartir dans des assiettes. Garnir de ciboulette et servir.

Tofu et légumes tex mex

PRÉPARATION : 20 MIN   CUISSON : 3 H 10 OU 5 H 10   6 PORTIONS

INGRÉDIENTS

- 1 c. à soupe d'huile végétale
- 1 oignon, haché finement
- 2 gousses d'ail, hachées finement
- 2 épis de maïs, coupés en tronçons
- 2 poivrons, coupés en lanières
- 1 c. à soupe de pâte de tomate
- 500 ml (2 tasses) de bouillon de légumes
- 1 c. à soupe d'assaisonnement tex mex
- 1 piment fort, épépiné et haché finement
- 450 g (1 lb) de tofu ferme, coupé en cubes de 2,5 cm (1 po)
- 1 petit brocoli, coupé en bouquets
- 60 ml (¼ tasse) d'huile d'olive extra vierge
- 2 branches d'origan, effeuillées
- ¼ c. à café de piment de Cayenne

PRÉPARATION

Dans un poêlon, faire chauffer l'huile. Ajouter l'oignon et l'ail. Faire revenir à feu moyen pendant 3 min. Ajouter les tronçons de maïs et les poivrons. Faire revenir pendant 3 min. Transférer dans la cocotte de la mijoteuse.

Dans le même poêlon, ajouter la pâte de tomate et le bouillon. Mélanger. Porter à ébullition. Incorporer l'assaisonnement tex mex et le piment. Verser dans la cocotte et mélanger. Ajouter les cubes de tofu et mélanger. Couvrir. Cuire à haute température pendant 2 h 30 ou à basse température pendant 4 h 30.

Ajouter rapidement le brocoli. Poursuivre la cuisson pendant 30 min.

Dans un bol, mélanger l'huile d'olive, les feuilles d'origan et le piment de Cayenne. Verser dans la cocotte et mélanger juste avant de servir.

Le plus de Claudette

Pour apporter de la fraîcheur, j'ajoute des feuilles de coriandre fraîche hachées grossièrement sur le plat juste avant de servir.

Le plus d'Andrea

Selon les préférences de mes invités, je transforme ce plat tex mex en un cari en remplaçant l'assaisonnement tex mex par la même quantité de garam masala et la moitié du bouillon par 250 ml (1 tasse) de lait de coco.

Trempette d'artichauts piquante

INGRÉDIENTS

- 18 cœurs d'artichauts en conserve, égouttés
- 150 g (1 tasse) de fromage feta émietté
- 2 oignons, hachés finement
- 2 radis, pelés et hachés finement
- 1 piment fort, haché finement
- 2 gousses d'ail, émincées
- 55 g (½ tasse) de parmesan râpé
- 230 g (2 tasses) de mozzarella râpée
- 500 ml (2 tasses) de crème légère 15 %
- 450 g (1 lb) de fromage à la crème, coupé en cubes
- Sel et poivre

PRÉPARATION

Hacher grossièrement les cœurs d'artichauts.

Dans la cocotte de la mijoteuse, placer les cœurs d'artichauts, le fromage feta, les oignons, les radis, le piment, l'ail, le parmesan, la mozzarella et la crème. Saler et poivrer. Mélanger. Couvrir de cubes de fromage à la crème. Couvrir. Cuire à haute température pendant 2 h ou à basse température pendant 4 h.

Retirer le couvercle et mélanger à la cuillère de bois pour bien incorporer le fromage à la crème. Couvrir. Poursuivre la cuisson pendant 20 min.

Transférer dans un bol. Servir immédiatement avec du pain grillé et des légumes frais.

Le pain

N'hésitez pas à essayer le pain à
la mijoteuse. Quelle belle surprise !
Plus besoin de laisser lever la pâte
avant de la cuire, la mijoteuse
fait tout cela et plus encore.

Focaccia au romarin

PRÉPARATION : 20 MIN   CUISSON : 1 H 30   REPOS : 10 MIN

1 FOCACCIA

INGRÉDIENTS

- 2 branches de romarin entière
- 2 c. à soupe d'huile d'olive extra vierge (pour le moule) + 250 ml (1 tasse)
- 375 g (3 tasses) de farine tout usage
- 1 c. à soupe de levure de boulanger
- 2 gousses d'ail, hachées finement
- 1 c. à café d'herbes de Provence
- ½ c. à café de sel
- 375 ml (1 ½ tasse) d'eau tiède
- 1 c. à café de fleur de sel
- 1 branche de romarin, hachée

Le plus d'Andrea

Le secret pour obtenir une focaccia savoureuse est de beaucoup huiler le papier ou le moule dans lequel elle cuit.

Conseil

Pour une focaccia plus dorée, après la cuisson à la mijoteuse, placez-la dans un four préchauffé à 200 °C (400 °F) pendant environ 7 min.

PRÉPARATION

Dans un bol, faire tremper les branches de romarin dans 250 ml (1 tasse) d'huile d'olive.

Retirer la cocotte de la mijoteuse. Fermer le couvercle et brancher la mijoteuse à haute température.

Couvrir un moule à gâteau carré ou ovale (selon le format de la mijoteuse) de papier sulfurisé. Huiler généreusement le papier.

Préparer la pâte. Dans le bol d'un mélangeur électrique (batteur sur socle) muni d'un crochet à pâte, placer la farine, la levure de boulanger, l'ail, les herbes de Provence et le sel. Verser l'eau tiède et 3 c. à soupe d'huile au romarin. Mélanger lentement jusqu'à ce que la pâte soit lisse. Ajouter un peu d'eau si nécessaire pour obtenir une pâte molle et lisse. Augmenter la vitesse et pétrir pendant 8 min. Si la pâte est trop collante, ajouter un peu de farine tout usage, une cuillère à la fois.

Transférer la pâte sur une surface de travail légèrement farinée. Former un carré de pâte, puis le déposer dans le moule. Avec l'index, appuyer à plusieurs endroits pour faire des indentations dans la pâte. Saupoudrer les cavités de fleur de sel et de romarin haché.

Placer 3 cercles de couvercles de conserve dans le fond de la cocotte. Déposer le moule sur les cercles. Transférer la cocotte dans la mijoteuse chaude. Couvrir. Cuire à haute température pendant environ 90 min.

Retirer le couvercle. Badigeonner le dessus de la focaccia du reste de l'huile au romarin. Laisser reposer pendant 10 min avant de servir.

Pain à la bière

PRÉPARATION : 20 MIN   CUISSON : 2 H   REPOS : 25 MIN
1 PAIN

INGRÉDIENTS

- 1 c. à soupe de beurre (pour le moule)
- 375 g (3 tasses) de farine tout usage
- 2 c. à soupe de cassonade
- 1 c. à soupe de levure chimique (poudre à pâte)
- 1 c. à café de sel
- 60 ml (¼ tasse) de beurre fondu
- 60 ml (¼ tasse) d'eau
- 375 ml (1 ½ tasse) de bière blonde

> *Le plus d'Andrea*
>
> Ajoutez 1 c. à café de graines de carvi à la pâte pour donner une touche alsacienne à ce pain.

PRÉPARATION

Retirer la cocotte de la mijoteuse. Fermer le couvercle et brancher la mijoteuse à haute température.

Couvrir un moule à pain de papier sulfurisé. Beurrer généreusement le papier.

Dans le bol d'un mélangeur électrique (batteur sur socle) muni d'un crochet à pâte, mélanger la farine, la cassonade, la levure, le sel, le beurre fondu, l'eau et la bière. Ajouter un peu d'eau si nécessaire pour obtenir une pâte lisse. Augmenter la vitesse et pétrir pendant 8 min. Si la pâte est trop collante, ajouter un peu de farine, une cuillère à la fois.

Transférer la pâte sur une surface de travail légèrement farinée. Former un rectangle de pâte de la taille du moule.

Placer 3 cercles de couvercles de conserve dans le fond de la cocotte. Déposer le moule sur les cercles. Transférer la cocotte dans la mijoteuse chaude.

Poser un linge de table plié en deux sur le dessus de la mijoteuse en le laissant dépasser de chaque côté de la mijoteuse. Mettre le couvercle par-dessus et remonter les bords du linge autour du couvercle. Cuire à haute température pendant environ 2 h.

Retirer le couvercle. Laisser reposer pendant 5 min.

Retirer le moule de la mijoteuse puis démouler le pain. Laisser reposer pendant 20 min.

Pain blanc à sandwich

PRÉPARATION : 20 MIN   REPOS : 25 MIN   CUISSON : 2 H
1 PAIN

INGRÉDIENTS

- 375 ml (1½ tasse) d'eau tiède
- 1 ½ c. à café de sucre
- 2 c. à café de levure de boulanger
- 2 c. à soupe de beurre (pour le moule)
- 500 g (4 tasses) de farine à pain
- 2 c. à café de sel
- 125 ml (½ tasse) de lait tiède

Conseils

Pour que le pain soit plus doré, placez-le après la cuisson à la mijoteuse dans un four préchauffé à 200 °C (400 °F) pendant environ 5 min.

Le plus d'Andrea

Avant la cuisson, badigeonnez le dessus de la pâte d'un peu de beurre fondu et saupoudrez de graines de sésame.

PRÉPARATION

Retirer la cocotte de la mijoteuse. Fermer le couvercle et brancher la mijoteuse à haute température.

Dans un bol, mélanger l'eau tiède, le sucre et la levure de boulanger. Laisser reposer pendant 5 min.

Beurrer un moule à pain. Couvrir de papier sulfurisé et beurrer généreusement le papier.

Dans le bol d'un mélangeur électrique (batteur sur socle) muni d'un crochet à pâte, placer la farine et le sel. Verser le lait et le mélange de levure. Mélanger lentement jusqu'à ce que la pâte soit lisse. Augmenter la vitesse et pétrir pendant 8 min. Si la pâte est trop collante, ajouter un peu de farine tout usage, une cuillère à la fois. Transférer la pâte dans le moule.

Placer 3 cercles de couvercles de conserve dans le fond de la cocotte. Déposer le moule sur les cercles. Transférer la cocotte dans la mijoteuse chaude. Couvrir, en plaçant une petite cuillère de bois entre le couvercle et la mijoteuse pour laisser la vapeur s'échapper légèrement. Cuire pendant environ 2 h.

Retirer le moule de la mijoteuse puis démouler le pain. Laisser reposer sur une grille pendant 20 min.

Pain de blé entier au miel

PRÉPARATION : 20 MIN   REPOS : 25 MIN   CUISSON : 2 H
                              1 PAIN

INGRÉDIENTS

- 375 ml (1 ½ tasse) d'eau tiède
- 60 ml (¼ tasse) de miel
- 1 c. à soupe de levure de boulanger
- 2 c. à soupe de beurre (pour le moule)
- 125 g (1 tasse) de farine tout usage
- 250 g (2 tasses) de farine de blé entier
- 1 c. à café de sel
- 125 ml (½ tasse) de lait tiède

PRÉPARATION

Retirer la cocotte de la mijoteuse. Fermer le couvercle et brancher la mijoteuse à haute température.

Dans un bol, mélanger l'eau tiède et le miel. Ajouter la levure de boulanger et mélanger. Laisser reposer pendant 5 min.

Beurrer généreusement un moule à pain. Couvrir de papier sulfurisé.

Dans le bol d'un mélangeur électrique (batteur sur socle) muni d'un crochet à pâte, placer les farines et le sel.

Verser le lait dans le bol de levure et mélanger. Transférer dans le mélange de farine. Mélanger lentement jusqu'à consistance lisse. Augmenter la vitesse et pétrir pendant 4 min. Si la pâte est trop collante, ajouter un peu de farine tout usage, une cuillère à la fois. Déposer la pâte dans le moule.

Placer 3 cercles de couvercles de conserve dans le fond de la cocotte. Déposer le moule sur les cercles. Transférer la cocotte dans la mijoteuse chaude. Couvrir, en plaçant une petite cuillère de bois entre le couvercle et la mijoteuse pour laisser la vapeur s'échapper légèrement. Cuire pendant environ 2 h.

Retirer le moule de la mijoteuse puis démouler le pain. Laisser reposer pendant 20 min.

Pain brun aux raisins secs

PRÉPARATION : 20 MIN   REPOS : 25 MIN   CUISSON : 2 H 30

1 PAIN

INGRÉDIENTS

- 2 c. à soupe de beurre (pour le moule)
- 1 c. à soupe de levure de boulanger
- 375 ml (1 ½ tasse) d'eau tiède
- 1 c. à soupe de cassonade
- 125 g (1 tasse) de farine de teff
- 250 g (2 tasses) de farine tout usage
- 2 c. à soupe de cacao en poudre
- 1 ½ c. à café de sel
- ¼ c. à café de cannelle moulue
- ½ c. à café de muscade moulue
- 125 ml (½ tasse) de lait tiède
- 150 g (1 tasse) de raisins secs

Variante

La farine de teff donne une très belle couleur et un goût particulier à ce pain. Elle peut être remplacée par la même quantité de farine de blé entier.

PRÉPARATION

Retirer la cocotte de la mijoteuse. Fermer le couvercle et brancher la mijoteuse à haute température.

Beurrer un moule à pain. Couvrir de papier sulfurisé. Beurrer généreusement le papier.

Dans le bol d'un mélangeur électrique (batteur sur socle) muni d'un crochet à pâte, mélanger la levure de boulanger, l'eau tiède et la cassonade. Laisser reposer pendant 5 min.

Au mélange de levure, ajouter les farines, le cacao, le sel, la cannelle, la muscade et le lait. Mélanger à basse vitesse pendant 8 min. Ajouter les raisins secs. Mélanger pendant 4 min. Verser la pâte dans le moule.

Placer 3 cercles de couvercles de conserve dans le fond de la cocotte. Déposer le moule sur les cercles. Transférer la cocotte dans la mijoteuse chaude. Couvrir, en plaçant une petite cuillère de bois entre le couvercle et la mijoteuse pour laisser la vapeur s'échapper légèrement. Cuire à haute température pendant environ 2 h 30.

Retirer le moule de la mijoteuse puis démouler le pain. Laisser reposer pendant 20 min.

Pain au citron et au thym

PRÉPARATION : 20 MIN   REPOS : 25 MIN   CUISSON : 2 H 30
1 PAIN

INGRÉDIENTS

- 2 c. à soupe de miel
- 1 c. à soupe de levure de boulanger
- 250 ml (1 tasse) d'eau tiède
- 500 ml (2 tasses) de lait tiède
- 50 g (½ tasse) de flocons d'avoine
- 2 c. à soupe de beurre (pour le moule)
- 375 g (3 tasses) de farine tout usage
- 1 c. à café de sel
- 1 gros œuf, battu
- 2 c. à soupe de beurre fondu
- 3 c. à soupe de zeste de citron râpé finement
- 1 branche de thym, râpée finement

Le plus de Claudette

Je sers ce pain le matin avec de la marmelade de citron pour réhausser les saveurs.

Le plus d'Andrea

Pour un pain santé, ajoutez 3 c. à soupe de germe de blé à la farine.

PRÉPARATION

Retirer la cocotte de la mijoteuse. Fermer le couvercle et brancher la mijoteuse à haute température.

Dans un grand bol, mélanger le miel, la levure de boulanger et l'eau tiède. Laisser reposer pendant 5 min. Incorporer le lait et les flocons d'avoine.

Couvrir un moule à pain de papier sulfurisé. Beurrer généreusement le papier.

Dans le bol d'un mélangeur électrique (batteur sur socle) muni d'un crochet à pâte, mélanger la farine, le mélange de levure, le sel, l'œuf battu et le beurre fondu. Ajouter le zeste de citron et le thym. Mélanger. Ajouter un peu de lait si nécessaire pour obtenir une pâte lisse. Augmenter la vitesse et pétrir pendant 8 min. Si la pâte est trop collante, ajouter un peu de farine, une cuillère à la fois.

Transférer la pâte sur une surface de travail légèrement farinée. Former un rectangle de pâte de la taille du moule. Le déposer dans le moule.

Placer 3 cercles de couvercles de conserve dans le fond de la cocotte. Déposer le moule sur les cercles. Transférer la cocotte dans la mijoteuse.

Poser un linge de table plié en deux sur le dessus de la mijoteuse en le laissant dépasser de chaque côté de la mijoteuse. Mettre le couvercle par-dessus et remonter les bords du linge autour du couvercle. Cuire à haute température pendant 2 h 30.

Retirer le moule de la mijoteuse puis démouler le pain. Laisser reposer pendant 20 min.

Pain de courgettes
à l'huile d'olive extra vierge

PRÉPARATION : 20 MIN   REPOS : 20 MIN   CUISSON : 3 H 30

1 PAIN

INGRÉDIENTS

- 2 c. à soupe de beurre (pour le moule)
- 120 g (1 tasse) d'amandes moulues
- 250 g (2 tasses) de farine tout usage
- 110 g (1 tasse) de parmesan râpé finement
- 1 c. à café de bicarbonate de soude
- 1 c. à café de levure chimique (poudre à pâte)
- ¼ c. à café de cannelle moulue
- ¼ c. à café de muscade moulue
- 1 c. à café de piment séché moulu
- 2 gros œufs
- 125 ml (½ tasse) d'huile d'olive extra vierge
- 2 c. à soupe de sucre
- 4 courgettes moyennes, râpées grossièrement

Le plus de Claudette
Je préfère la version sucrée-salée avec 2 c. à soupe de cassonade, 150 g (1 tasse) de raisins secs ou 160 g (1 tasse) de cerises séchées et 175 g (1 tasse) de noisettes hachées en remplacement du parmesan.

PRÉPARATION

Retirer la cocotte de la mijoteuse. Fermer le couvercle et brancher la mijoteuse à haute température.

Couvrir un moule à pain de papier sulfurisé. Beurrer généreusement le papier.

Dans un grand bol, mélanger les amandes moulues, la farine, le parmesan, le bicarbonate, la levure, la cannelle, la muscade et le piment séché.

Dans le bol d'un mélangeur électrique, au fouet, battre les œufs, l'huile d'olive et le sucre pendant 3 min. Incorporer le mélange de farine et les courgettes. Verser la pâte dans le moule.

Placer 3 cercles de couvercles de conserve dans le fond de la cocotte. Déposer le moule sur les cercles. Transférer la cocotte dans la mijoteuse.

Poser un linge de table plié en deux sur le dessus de la mijoteuse en le laissant dépasser de chaque côté de la mijoteuse. Mettre le couvercle par-dessus et remonter les bords du linge autour du couvercle. Cuire à haute température pendant environ 3 h 30.

Retirer le moule de la mijoteuse. Laisser le pain reposer dans le moule pendant 20 min avant de démouler.

Le plus d'Andrea
Avec 1 c. à café de filaments de safran ajouté à la farine, ce pain prend une belle couleur et a une saveur incomparable.

Pain au fromage et à l'ail

PRÉPARATION : 20 MIN   REPOS : 5 MIN   CUISSON : 2 H 10
1 PAIN

INGRÉDIENTS

- 2 c. à soupe d'huile végétale (pour la cocotte)
- 250 ml (1 tasse) d'eau tiède
- 1 ½ c. à café de sucre
- 1 c. à soupe de levure de boulanger
- 375 g (3 tasses) de farine tout usage
- 1 c. à café de sel
- 1 c. à café de poudre d'oignon
- 2 c. à café de poudre d'ail
- 2 c. à soupe d'huile d'olive extra vierge
- 125 g (1 tasse) de cheddar râpé
- 60 g (½ tasse) de mozzarella râpée

PRÉPARATION

Retirer la cocotte de la mijoteuse. Fermer le couvercle et brancher la mijoteuse à haute température.

Badigeonner la cocotte d'huile végétale. Couvrir le fond de papier sulfurisé. Saupoudrer le papier d'un peu de farine.

Dans un bol, mélanger l'eau tiède, le sucre et la levure. Laisser reposer pendant 5 min.

Dans le bol d'un mélangeur électrique (batteur sur socle) muni d'un crochet à pâte, mélanger la farine et le sel. Ajouter la poudre d'oignon, la poudre d'ail et le mélange de levure. Mélanger à basse vitesse. Verser l'huile d'olive en mélangeant lentement. Pétrir pendant 5 min. Ajouter un peu d'eau si nécessaire pour obtenir une pâte lisse. Augmenter la vitesse et pétrir pendant 5 min. Si la pâte est trop collante, ajouter un peu de farine, une cuillère à la fois.

Transférer la pâte sur une surface de travail légèrement farinée. Former un rectangle ou un cercle de pâte, puis le déposer dans la cocotte. Transférer dans la mijoteuse.

Poser un linge de table plié en deux sur le dessus de la mijoteuse en le laissant dépasser de chaque côté de la mijoteuse. Mettre le couvercle par-dessus et remonter les bords du linge autour du couvercle. Cuire à haute température pendant environ 2 h.

Préchauffer le four traditionnel à 200 °C (400 °F).

Retirer la cocotte de la mijoteuse puis retirer le pain et le mettre sur une plaque à cuisson. Couvrir de fromage râpé. Cuire au four pendant environ 7 min ou jusqu'à ce que le fromage soit complètement fondu.

Retirer la plaque du four. Servir immédiatement.

Pain au fromage
et aux tomates séchées

PRÉPARATION : 20 MIN   REPOS : 30 MIN   CUISSON : 2 H

1 PAIN

INGRÉDIENTS

- 1 c. à soupe de levure de boulanger
- 1 c. à café de sucre
- 375 ml (1 ½ tasse) d'eau tiède
- 2 c. à soupe de beurre (pour le moule)
- 1 œuf
- 60 ml (¼ tasse) d'huile végétale
- 375 g (3 tasses) de farine tout usage
- 1 ½ c. à café de sel
- ½ c. à café de poivre blanc moulu
- 10 tomates séchées, hachées grossièrement
- 260 g (2 tasses) de cheddar, en cubes

Le plus de Claudette

J'ajoute 1 c. à café d'herbes de Provence à la pâte pour lui donner un air méditerranéen. Je le sers alors avec des charcuteries et des olives.

Le plus d'Andrea

En remplaçant le cheddar par du gouda fort ou un mélange de ces fromages, vous obtiendrez des saveurs plus prononcées.

PRÉPARATION

Retirer la cocotte de la mijoteuse. Fermer le couvercle et brancher la mijoteuse à haute température.

Dans un bol, mélanger la levure de boulanger, le sucre et 60 ml (¼ tasse) d'eau tiède. Laisser reposer pendant 10 min.

Couvrir un moule à pain de papier sulfurisé. Beurrer généreusement le papier.

Dans le bol d'un mélangeur électrique (batteur sur socle) muni d'un crochet à pâte, mélanger l'œuf, l'huile et le reste de l'eau. Incorporer le mélange de levure. Ajouter la farine, le sel et le poivre en mélangeant lentement jusqu'à ce que la pâte soit lisse. Ajouter un peu d'eau si nécessaire pour obtenir une pâte lisse. Augmenter la vitesse et pétrir pendant 8 min. Ajouter les tomates séchées et les cubes de fromage. Mélanger pendant 2 min pour bien répartir les tomates et le fromage dans la pâte. Si la pâte est trop collante, ajouter un peu de farine, une cuillère à la fois.

Transférer la pâte sur une surface de travail légèrement farinée. Former un rectangle de pâte de la taille du moule. Déposer dans le moule.

Placer 3 cercles de couvercles de conserve dans le fond de la cocotte. Déposer le moule sur les cercles. Transférer la cocotte dans la mijoteuse chaude. Couvrir, en plaçant une petite cuillère de bois entre le couvercle et la mijoteuse pour laisser la vapeur s'échapper légèrement. Cuire à haute température pendant environ 2 h.

Retirer le moule de la mijoteuse puis démouler le pain. Laisser reposer pendant 20 min.

Pain au sorgho et au riz

PRÉPARATION : 20 MIN   REPOS : 25 MIN   CUISSON : 2 H 20
1 PAIN

INGRÉDIENTS

- 2 c. à soupe d'huile végétale (pour le moule)
- 150 g (1 ½ tasse) de farine de sorgho
- 125 g (1 tasse) de farine de riz
- 45 g (½ tasse) de farine d'avoine
- 1 ¼ c. à café de sel
- 1 ½ c. à soupe de levure de boulanger
- 310 ml (1 ¼ tasse) d'eau tiède
- 3 c. à soupe d'huile d'olive extra vierge
- 1 c. à soupe de nectar d'agave (ou de miel)
- 1 c. à soupe de flocons d'avoine
- 1 c. à café de graines de sorgho
- 1 c. à café de graines de sésame
- 1 c. à café de graines de millet
- 1 c. à café de graines de lin
- 1 œuf, battu

Le plus d'Andrea

Des graines de citrouille ajoutées au mélange de farine donnent de la texture à chaque bouchée.

PRÉPARATION

Retirer la cocotte de la mijoteuse. Fermer le couvercle et brancher la mijoteuse à haute température.

Huiler généreusement un moule à pain.

Dans un grand bol, mélanger la farine de sorgho, la farine de riz, la farine d'avoine et le sel.

Dans le bol d'un mélangeur électrique (batteur sur socle) muni d'un crochet à pâte, mélanger la levure de boulanger, l'eau tiède, l'huile d'olive et le nectar d'agave. Laisser reposer pendant 5 min.

Dans un autre bol, mélanger les flocons d'avoine, les graines de sorgho, de sésame, de millet et de lin.

Ajouter les farines au mélange de levure. Mélanger à basse vitesse pendant 5 min. Augmenter la vitesse et mélanger pendant 2 min. Transférer la pâte dans le moule. Mouiller une spatule dans un peu d'eau tiède. Lisser la pâte à la spatule. À l'aide d'un couteau, faire 2 entailles sur la pâte. Badigeonner d'œuf battu. Saupoudrer du mélange de flocons d'avoine.

Placer 3 cercles de couvercles de conserve dans le fond de la cocotte. Déposer le moule sur les cercles. Transférer la cocotte dans la mijoteuse chaude. Couvrir, en plaçant une petite cuillère de bois entre le couvercle et la mijoteuse pour laisser la vapeur s'échapper légèrement. Cuire pendant environ 2 h 20.

Retirer le pain de la mijoteuse. Le déposer sur une plaque à cuisson et cuire dans un four préchauffé à 190 °C (375 °F) pendant environ 7 min pour dorer.

Retirer la plaque du four. Laisser le pain refroidir sur une grille pendant 20 min avant de servir.

Desserts

Il n'est pas habituel d'utiliser la mijoteuse pour préparer des desserts, pourtant la plupart se prêtent aisément à ce mode de cuisson.

Beurre de pêches aux épices

PRÉPARATION : 10 MIN   CUISSON : 2 H 30 OU 4 H   4 PORTIONS

INGRÉDIENTS

- 10 grosses pêches, pelées et coupées en tranches
- 200 g (1 tasse) de sucre
- 2 c. à soupe de tapioca instantané
- 60 ml (¼ tasse) de jus de citron
- ½ c. à café d'extrait de vanille
- 1 pincée de sel
- 1 bâton de cannelle
- 1 étoile de badiane (anis étoilé)

Le plus d'Andrea

L'ajout d'une c. à café de grains de poivre de Sichuan peut sembler étrange, mais ils subliment les saveurs de ce dessert.

PRÉPARATION

Dans la cocotte de la mijoteuse, mélanger les pêches, le sucre, le tapioca, le jus de citron, la vanille et le sel. Ajouter le bâton de cannelle et la badiane. Couvrir. Cuire à haute température pendant 1 h 30 ou à basse température pendant 3 h.

Ouvrir légèrement le couvercle. Placer une cuillère de bois entre le couvercle et la mijoteuse pour laisser la vapeur s'échapper. Poursuivre la cuisson à haute température pendant 1 h.

À l'aide d'une écumoire, retirer le bâton de cannelle et la badiane. Servir avec du pain d'épice ou des biscuits.

Ce beurre à texture de compote peut être gardé au chaud dans la mijoteuse à basse température pendant 1 h ou être conservé dans un contenant hermétique au réfrigérateur pendant 2 jours.

Brownies aux pistaches

INGRÉDIENTS

- 2 c. à soupe de beurre (pour le moule)
- 500 ml (2 tasses) d'eau
- 250 g (1 ¼ tasse) de pastilles de chocolat noir
- 110 g (½ tasse) de beurre, en dés
- 125 g (1 tasse) de farine tout usage
- 60 g (½ tasse) d'amandes moulues
- 200 g (1 tasse) de sucre
- 5 c. à soupe de cacao en poudre
- 1 c. à café de levure chimique (poudre à pâte)
- ½ c. à café de sel
- 3 gros œufs, battus
- 1 jaune d'œuf
- 1 c. à café d'extrait de vanille
- 130 g (1 tasse) de pistaches, écalées
- 200 g (1 tasse) de mini pépites de chocolat

PRÉPARATION

Beurrer généreusement un moule à gâteau qui loge dans la cocotte de la mijoteuse.

Couvrir le fond de la cocotte d'une large bande de papier aluminium et la laisser dépasser sur les extrémités de la mijoteuse.

Verser l'eau dans le fond de la mijoteuse.

Dans un bol, faire fondre le chocolat et le beurre au four à micro-ondes. Mélanger.

Dans un grand bol, au fouet, mélanger la farine, les amandes moulues, le sucre, le cacao, la levure et le sel. Ajouter les œufs battus, le jaune d'œuf, la vanille et le chocolat fondu. Mélanger au fouet. Incorporer la moitié des pistaches et les mini pépites de chocolat. Verser dans le moule. Saupoudrer du reste de pistaches.

Déposer délicatement le moule dans la cocotte. Couvrir. Cuire à basse température pendant environ 3 h 30.

À l'aide du papier aluminium, retirer le moule de la mijoteuse. Laisser refroidir sur une grille pendant 1 h avant de servir.

Le plus de Claudette

J'apporte une touche exotique à ce brownie en le saupoudrant de noix de coco râpée au moment de le servir.

Le plus d'Andrea

Pour un dessert réservé aux adultes, j'incorpore à la pâte 6 abricots secs hachés, préalablement trempés dans un verre de rhum d'environ 60 ml (¼ tasse) pendant quelques heures.

Compote aux fruits d'hiver

PRÉPARATION : 25 MIN   MACÉRATION : 1 H   CUISSON : 4 H OU 8 H
REPOS : 30 MIN   8 PORTIONS

INGRÉDIENTS

- 8 abricots secs
- 12 dattes dénoyautées
- 250 ml (1 tasse) de rhum épicé
- 2 oranges, pelées et coupées en quartiers
- 4 pommes, pelées et coupées en dés
- 2 poires, pelées et coupées en dés
- 400 g (2 tasses) de sucre
- 1 c. à soupe de gingembre frais râpé
- 1 c. à soupe de zeste d'orange râpé finement
- 4 c. à soupe de noix hachées

PRÉPARATION

Dans un bol, faire tremper les abricots secs et les dattes dans le rhum épicé pendant 1 h.

Couper les quartiers d'orange en dés.

Placer les abricots et les dattes avec leur liquide de macération dans la cocotte de la mijoteuse. Ajouter les dés d'orange, de pomme et de poire, le sucre, le gingembre et le zeste d'orange. Mélanger. Couvrir. Cuire à haute température pendant 4 h ou à basse température pendant 8 h.

Ajouter rapidement les noix hachées et mélanger. Verser dans un grand bol et laisser refroidir pendant 30 min avant de servir.

Le plus de Claudette

Cette compote est un délice servie sur de la crème glacée.

Variante

Remplacez le rhum épicé par de la liqueur de noix.

Le plus d'Andrea

J'ajoute quelques figues séchées aux abricots et aux dattes.

Crème caramel à la cardamome

PRÉPARATION : 25 MIN   CUISSON : 2 H OU 3 H 30   REPOS : 1 H
RÉFRIGÉRATION : 24 H   8 PORTIONS

INGRÉDIENTS

- 560 ml (2 ¼ tasses) d'eau
- 300 g (1 ½ tasse) de sucre
- 5 gros jaunes d'œufs
- 1 œuf entier
- 500 ml (2 tasses) de lait tiède
- 1 ½ c. à café d'extrait de vanille
- 1 c. à café de cardamome moulue

Conseil

Quelques gouttes de sirop de café dans la préparation, ajoutées en même temps que la vanille, en font un dessert encore plus succulent.

PRÉPARATION

Dans une casserole, porter à ébullition 60 ml (¼ tasse) d'eau et 200 g (1 tasse) de sucre. Cuire sans remuer jusqu'à l'obtention d'une couleur ambrée. Répartir dans 6 ramequins.

Couvrir le fond de la cocotte de la mijoteuse d'une double bande de papier aluminium et la laisser dépasser sur les extrémités de la mijoteuse. Verser environ 500 ml (2 tasses) d'eau dans le fond de la cocotte (selon la taille).

Dans un grand bol, au fouet électrique, mélanger les jaunes d'œufs, l'œuf entier et le reste du sucre pendant 5 min. Incorporer le lait tiède, la vanille et la cardamome. Verser dans les ramequins, puis les placer dans la mijoteuse. Si nécessaire, ajouter un peu d'eau jusqu'à mi-hauteur des ramequins. Couvrir. Cuire à haute température pendant environ 2 h ou à basse température pendant 3 h 30. La crème caramel doit être légèrement tremblotante au centre.

Retirer délicatement les ramequins de la mijoteuse. Laisser refroidir sur une grille pendant 1 h.

Couvrir de pellicule plastique et réfrigérer jusqu'au lendemain.

Pour servir, passer la lame d'un couteau autour des ramequins, puis retourner les ramequins sur des assiettes.

Gâteau éponge à la vanille

PRÉPARATION : 20 MIN   CUISSON : 2 H 30   REPOS : 20 MIN

6 PORTIONS

INGRÉDIENTS

- 2 c. à soupe de beurre (pour le moule)
- 250 g (2 tasses) de farine sans gluten
- 4 c. à soupe de fécule de maïs
- 1 c. à café de sel
- 3 œufs, séparés
- 200 g (1 tasse) de sucre
- 1 gousse de vanille, fendue et grattée
- ½ c. à café d'extrait de vanille
- 1 c. à café de zeste de citron râpé finement
- 125 ml (½ tasse) de yogourt de soya nature
- 125 ml (½ tasse) de lait de soya
- 2 c. à soupe de sucre à glacer
- ¼ c. à café de vanille en poudre

PRÉPARATION

Beurrer un grand moule à gâteau qui loge dans la cocotte de la mijoteuse. Couvrir de papier sulfurisé et le beurrer généreusement.

Dans un bol, tamiser la farine, la fécule de maïs et le sel.

Dans un grand bol, au fouet électrique, battre les jaunes d'œufs et le sucre pendant 5 min. Incorporer la gousse de vanille, l'extrait de vanille, le zeste de citron, le yogourt et le lait de soya, en fouettant. Incorporer le mélange de farine.

Dans un autre bol, au fouet électrique, battre les blancs d'œufs jusqu'à la formation de pics mous. Incorporer lentement au mélange. Verser dans le moule, puis le déposer dans la cocotte. Couvrir. Cuire à haute température pendant environ 2 h 30. Le gâteau est cuit lorsqu'un cure-dent inséré au centre en ressort propre.

Dans un petit bol, mélanger le sucre à glacer et la vanille en poudre.

Retirer le moule de la mijoteuse. Laisser reposer dans le moule pendant 20 min.

Démouler le gâteau. Saupoudrer de sucre à glacer à la vanille. Servir.

Le plus de Claudette

Ce gâteau est délicieux garni d'un mélange de framboises et de fraises.

Le plus d'Andrea

Remplacez le zeste de citron par 1 c. à soupe de café espresso instantané. La vanille et le café sont des saveurs qui se marient à merveille.

Conseil

Si vous disposez d'une petite mijoteuse d'environ 20 cm (8 po) de diamètre, couvrez le fond de la cocotte de papier sulfurisé beurré et versez la pâte dans la cocotte. Surveillez pour que le fond du gâteau ne brûle pas.

Gâteau muffin aux abricots

PRÉPARATION : 20 MIN   CUISSON : 2 H   REPOS : 1 H 30

6 PORTIONS

INGRÉDIENTS

- 285 g (1 ½ tasse) d'abricots secs
- 125 ml (½ tasse) de thé au jasmin
- 6 c. à soupe de beurre
- 100 g (½ tasse) de sucre
- 3 c. à soupe de cassonade
- 2 gros œufs
- 1 jaune d'œuf
- ½ c. à café d'extrait de vanille
- 125 ml (½ tasse) de crème sure
- 250 g (2 tasses) de farine tout usage
- 1 c. à café de bicarbonate de soude
- 1 c. à café de levure chimique (poudre à pâte)
- ½ c. à café de sel

Le plus de Claudette

Je remplace le thé au jasmin par la même quantité de rhum pour la macération des abricots secs.

Le plus d'Andrea

Une généreuse pincée de cannelle moulue dans le mélange de farine parfume davantage ce gâteau.

PRÉPARATION

Dans un bol, faire tremper les abricots secs dans le thé pendant 1 h.

Beurrer généreusement un moule à gâteau de 20 cm (8 po) ou 8 petits moules individuels qui logent dans la cocotte de la mijoteuse.

Dans un bol, au batteur électrique, battre le beurre, le sucre et la cassonade pendant 5 min. Ajouter les œufs et le jaune d'œuf un à un, en battant après chaque œuf. Incorporer la vanille et la crème sure.

Dans un grand bol, tamiser la farine, le bicarbonate de soude, la levure et le sel. Incorporer à la préparation beurre-œufs.

Égoutter les abricots et les incorporer à la pâte.

Répartir la pâte dans le moule. Placer dans la cocotte. Couvrir. Cuire à haute température pendant environ 2 h. Le gâteau est cuit lorsqu'un cure-dent inséré au centre en ressort propre.

Retirer le couvercle de la mijoteuse. Laisser le gâteau reposer pendant 30 min avant de le retirer de la mijoteuse.

Laisser le gâteau refroidir dans le moule sur une grille pendant 1 h avant de démouler et servir.

Gâteau de polenta aux framboises

PRÉPARATION : 20 MIN   CUISSON : 2 H   REPOS : 15 MIN

8 PORTIONS

INGRÉDIENTS

- 2 c. à soupe de beurre (pour le moule)
- 185 g (1 ½ tasse) de farine de maïs
- 125 g (1 tasse) de farine tout usage
- 60 g (½ tasse) d'amandes moulues
- 200 g (1 tasse) de sucre
- 1 ½ c. à café de levure chimique (poudre à pâte)
- ½ c. à café de bicarbonate de soude
- ¼ c. à café de sel
- 6 c. à soupe de beurre fondu
- 250 ml (1 tasse) de lait
- 3 œufs
- 1 c. à café d'extrait de vanille
- 1 c. à soupe de zeste d'orange râpé finement
- 250 g (2 tasses) de framboises fraîches

Le plus de Claudette
J'ajoute 1 pincée de poudre de chili à la pâte et après la cuisson, je saupoudre le gâteau de sucre à glacer.

Si vous possédez un moule à tarte en silicone, c'est le moment parfait pour l'utiliser car il facilite le démoulage du gâteau.

PRÉPARATION

Beurrer un moule à tarte d'environ 20 cm (8 po) qui loge dans la cocotte de la mijoteuse. Couvrir de papier sulfurisé et le beurrer généreusement.

Couvrir le fond de la cocotte d'une double bande de papier aluminium et la laisser dépasser sur les extrémités de la mijoteuse.

Dans un grand bol, mélanger la farine de maïs, la farine tout usage, les amandes moulues, le sucre, la levure, le bicarbonate et le sel.

Dans un autre grand bol, au fouet électrique, battre le beurre fondu, le lait, les œufs et la vanille. Ajouter le zeste d'orange et mélanger. Incorporer lentement le mélange de farine. Verser dans le moule. Ajouter les framboises sur le dessus.

Déposer délicatement le moule dans la cocotte. Verser de l'eau autour du moule jusqu'à mi-hauteur. Couvrir. Cuire à haute température pendant environ 2 h. Le gâteau est cuit lorsqu'un cure-dent inséré au centre en ressort propre.

Préchauffer le four à 200 °C (400 °F).

Retirer le couvercle et laisser reposer dans la mijoteuse pendant 15 min.

À l'aide d'une grande spatule, retirer le moule de la mijoteuse. Cuire au four pendant 5 min.

Retirer le moule du four. Démouler délicatement et servir.

Variante
Remplacez la moitié des framboises par des bleuets.

Gâteau pudding aux carottes et au citron

PRÉPARATION : 20 MIN   CUISSON : 3 H   REPOS : 40 MIN

6 PORTIONS

INGRÉDIENTS

- 2 c. à soupe d'huile végétale (pour le moule)
- 250 g (2 tasses) de farine tout usage
- 1 c. à café de levure chimique (poudre à pâte)
- ½ c. à café de gingembre moulu
- ½ c. à café de sel
- ¼ c. à café de clou de girofle moulu
- 60 ml (¼ tasse) de beurre fondu
- 1 gros œuf
- 3 c. à soupe de poudre de pudding instantané à la vanille
- 250 ml (1 tasse) de crème sure
- 2 c. à soupe de zeste de citron râpé finement
- 60 ml (¼ tasse) de jus de citron
- 2 grosses carottes, pelées et râpées finement

PRÉPARATION

Huiler un moule à gâteau d'environ 20 cm (8 po) ou d'une taille qui loge dans la cocotte de la mijoteuse.

Dans un bol, tamiser la farine, la levure, le gingembre, le sel et le clou de girofle. Ajouter le beurre fondu, l'œuf et la poudre de pudding. Mélanger. Ajouter la crème sure, le zeste de citron, le jus de citron et les carottes râpées. Mélanger. Verser dans le moule.

Déposer délicatement le moule dans la cocotte. Verser de l'eau autour du moule jusqu'à mi-hauteur. Couvrir. Cuire à haute température pendant environ 3 h.

Éteindre la mijoteuse. Laisser le gâteau reposer pendant 20 min avant de le retirer de la mijoteuse.

Placer le gâteau sur une grille et laisser refroidir complètement avant de servir.

Pudding au pain au chocolat blanc

PRÉPARATION : 20 MIN   CUISSON : 3 H 30   REPOS : 25 MIN

6 PORTIONS

INGRÉDIENTS

- 2 c. à soupe d'huile végétale (pour la cocotte)
- 2 c. à soupe de beurre (pour le moule)
- 1 L (4 tasses) de crème légère 15 %
- 250 ml (1 tasse) de lait évaporé non sucré
- 200 g (1 tasse) de sucre
- 6 gros d'œufs
- 2 jaunes d'œufs
- 1 c. à café d'extrait de vanille
- ¼ c. à café de sel
- 8 tranches de pain épaisses, coupées en cubes
- 265 g (1 ½ tasse) de pastilles de chocolat blanc
- 100 g (1 tasse) de pacanes entières

PRÉPARATION

Huiler la cocotte de la mijoteuse. Couvrir le fond et les parois de papier aluminium en laissant le papier dépasser sur les bords de la cocotte. Beurrer le papier aluminium.

Dans un grand bol, au fouet, battre la crème, le lait évaporé, 150 g (¾ tasse) de sucre, les œufs, les jaunes d'œufs, la vanille et le sel jusqu'à ce que le sucre soit dissous. Incorporer les cubes de pain. Laisser reposer pendant 5 min, en pressant le pain de temps en temps, jusqu'à ce que le liquide soit absorbé.

Ajouter la moitié des pastilles de chocolat et les pacanes. Mélanger. Transférer le mélange dans la cocotte. Garnir du reste de pastilles de chocolat et saupoudrer du reste de sucre. Couvrir. Cuire à basse température pendant environ 3 h 30 ou jusqu'à ce que le centre soit pris.

Retirer le couvercle de la mijoteuse. Laisser reposer pendant 20 min avant de servir.

Le plus de Claudette

Remplacez la moitié des pastilles de chocolat blanc par des pastilles de chocolat au lait pour un beau contraste en bouche. Et ne résistez pas à l'envie de verser 1 c. à soupe de sirop d'érable sur chaque portion de pudding.

Variante

Les pacanes peuvent être remplacées par des noix ou des noisettes hachées.

Le plus d'Andrea

En remplaçant un tiers de la crème par du rhum brun, ce dessert sera étonnant et délicieux, sans être trop alcoolisé.

Pudding au riz et au citron vert

PRÉPARATION : 25 MIN   CUISSON : 3 H 30   REPOS : 10 MIN
RÉFRIGÉRATION : 1 H   6 PORTIONS

INGRÉDIENTS

- 2 c. à soupe d'huile végétale (pour la cocotte)
- 750 ml (3 tasses) de lait
- 250 ml (1 tasse) d'eau de coco
- 200 g (1 tasse) de riz à grain rond
- 100 g (½ tasse) de sucre
- 2 c. à soupe de zeste de citron vert râpé finement
- 2 c. à café de cannelle moulue
- ¼ c. à café de sel
- 2 c. à soupe de beurre, coupé en dés
- Le zeste d'un citron vert, en bâtonnets

PRÉPARATION

Huiler généreusement la cocotte de la mijoteuse.

Dans la cocotte, mélanger le lait, l'eau de coco, le riz, le sucre, le zeste de citron râpé, la cannelle et le sel. Déposer les dés de beurre sur le dessus. Couvrir. Cuire à haute température pendant 3 h 30.

Ajouter rapidement les bâtonnets de zeste de citron vert et mélanger. Laisser reposer pendant 10 min.

Répartir dans des coupes et réfrigérer pendant au moins 1 h avant de servir.

Le plus de Claudette

J'aime ajouter des petits morceaux de jujube au citron et à l'orange à la fin de la cuisson, juste avant de répartir dans les coupes. Les enfants adorent !

Le plus d'Andrea

Je remplace 250 ml (1 tasse) de lait par de la crème légère pour obtenir une texture encore plus onctueuse. Et parfois, j'incorpore 40 g (½ tasse) de noix de coco râpée avec le zeste de citron vert.

REMERCIEMENTS

Nous remercions ces entreprises et artisans pour leurs conseils et leur contribution à cet ouvrage :

Courchesne Larose pour leurs merveilleux fruits et légumes ;

Del Verde pour leurs pâtes délicates et parfaites ;

Épices Crousset pour leur belle gamme de mélanges d'épices ;

Fraisière Gravel pour leurs délicieux petits fruits magiques ;

Global pour leur remarquable gamme de vins et portos Cabral ;

GoGo Quinoa pour la qualité de leurs petites graines ;

Haiku pour leurs sauces pimpantes et parfumées ;

Hydroserre Mirabel pour leur indispensable gamme de laitues ;

Les Producteurs de pommes du Québec pour leurs beaux fruits ;

Maille pour leurs moutardes exquises et leurs vinaigres raffinés ;

Monari Federzoni pour leur variété de balsamique ;

Nutra-Fruit pour leur éventail de produits à la canneberge ;

Paderno pour leurs casseroles canadiennes idéales pour tout ;

Tabasco pour leurs sauces piquantes et leurs olives divines.

REMERCIEMENTS

Il en aura fallu des recettes à composer, des combinaisons
à tester et des plats qui mijotent pour faire de ce livre ce
qu'il est. Mais il aura surtout fallu de l'amour (beaucoup), de
l'attention (méticuleuse), des heures (innombrables) et du bon
vin (indispensable !). Plus nous évoluons dans nos aventures
culinaires, plus la tribu se soude et meilleurs sont les plats.

Merci à nos familles, qui sont aussi enthousiastes que nous pour
ce merveilleux projet, pour votre soutien sans limites : il suffit
à transformer notre travail en plaisir jusqu'à la dernière recette.

Merci à l'homme derrière la machine, le seul et unique Erwan,
que nous aimons tant pour son esprit critique raffiné : ton amitié
nous guide dans notre univers de sauces et de petits plats.
Merci à toute l'équipe de la maison d'édition car, du graphisme
à la commercialisation, elle permet à nos livres de trouver leur
place dans la bibliothèque des cuisiniers. Merci à Dominique
qui œuvre dans l'ombre de la cuisine et nous soutient dans les
moments décisifs, ceux durant lesquels nous testons nos idées.
Merci à Francesca et à Laurence pour les longues heures de
correction et de transcription : grâce à vous, nous savons que
nous serons comprises et nos recettes, réussies. Merci à nos
hommes, Serge et Philip, qui nous aiment, tout simplement.
Ce n'est pas toujours facile, mais en amour comme en cuisine,
l'ennui est l'ennemi à combattre !

Merci à tous ceux qui, de près ou de loin, collaborent à notre
belle aventure gastronomique.